诗词·杂记

弘一大师 著

中国画报出版社·北京

图书在版编目（C I P）数据

诗词·杂记 / 弘一大师著. -- 北京 : 中国画报出版社, 2017.1（2022.11重印）
（弘一大师文集）
ISBN 978-7-5146-1384-1

Ⅰ. ①诗… Ⅱ. ①弘… Ⅲ. ①文艺－作品综合集－中国－现代 Ⅳ. ①I216.2

中国版本图书馆 CIP 数据核字（2016）第 247145 号

诗词·杂记 弘一大师 著

出 版 人：于九涛
特别策划：吴红梅
责任编辑：于九涛 郭翠青
助理编辑：魏姗姗
封面篆章：朱广贺
责任印制：焦 洋
出版发行：中国画报出版社
（中国北京市海淀区车公庄西路 33 号 邮编：100048）
开 本：32 开（787mm × 1092mm）
印 张：10
字 数：160 千字
版 次：2017 年 1 月第 1 版 2022 年 11 月第 2 次印刷
印 刷：三河市兴国印务有限公司
定 价：40.00 元
总编室兼传真：010-88417359 版权部：010-88417409
发行部：010-88417360 010-88417417（传真）

目录

诗词

歌

护生画集

杂记

演讲选集

诗词

断句

人生犹似西山日

富贵终如草上霜

1894 年李叔同 15 岁时所作

赋得忧国愿年丰

——得年字五言六韵

盛世忧何有，虔心祝瑞年。

为民常惕厉，愿国永丰延。

搔首风尘里，衔恩雨露前。

升平应可答，廉让易为泉。

蚁悃萦难释，豳风绘可传。

重光看瑞景，簪笔凤池边。

1898 年应天津县试时作

戏赠蔡小香四绝

眉间愁语烛边情，素手掺掺一握盈。
艳福者般真羡煞，侍人个个唤先生。

云髩蓬松粉薄施，看来西子捧心时。
自从一病恹恹后，瘦了春山几道眉。

轻减腰围比柳姿，刘桢平视故迟迟。
佯羞半吐丁香舌，一段浓芳是口脂。

愿将天上长生药，医尽人间短命花。
自是中郎精妙术，大名传遍沪江涯。

1899 年秋作于上海城南草堂

咏山茶花

瑟瑟寒风剪剪催，几枝花放水云隈。

淡妆写出无双品，芳信传来第二回。

春色鲜鲜胜似锦，粉痕艳艳瘦于梅。

本来桃李羞同调，故向百花头上开。

右余近作《山茶花》诗也。

格效东瀛诗体，愧鲜形貌之似。近读东瀛山根立庵先生佳作，而拙作益觉如土饭尘羹矣。先生《咏山茶花诗》云：

前身尝住建溪滨，国色由来出素贫。

凌雪知非青女匹，耐寒或与水仙亲。

丰腴坡老诗中相，明艳涪翁赋里人。

莫被渡江梅柳妒，群芳凋日早回春。

己亥岁暮之月，惜霜仙史成蹊。

1900 年作于上海

和宋贞题城南草图原韵

门外风花各自春，
空中楼阁画中身。
而今得结烟霞侣，
休管人生幻与真。

庚子初夏，余寄居草堂，得与幻园朝夕聚首。曩幻园于丁酉冬，作二十岁自述诗，张蒲友孝谦为题词云：

无真非幻，无幻非真。可谓深知幻园者矣。

李成蹊

1900年夏作于上海城南草堂

夜泊塘沽

杜宇声声归去好，天涯何外无芳草。
春来春去奈愁何，流光一霎催人老。
新鬼故鬼鸣喧哗，野火磷磷树影遮。
月似解人离别苦，清光减作一钩斜。

1901 年 2 月作于自沪赴津省亲途中

遇风愁不成寐

到津次夜，大风怒吼，
金铁皆鸣，愁不成寐。

世界鱼龙混，天心何不平？
岂因时事感，偏作怒号声。
烛尽难寻梦，春寒况五更。
马嘶残月堕，笳鼓万军营。

1901 年 2 月作于自沪赴津省亲途中

感时

杜宇啼残故国愁，
虚名况敢望千秋。
男儿若论收场好，
不是将军也断头。

1901 年作于天津

津门清明

一杯浊酒过清明，
觞断樽前百感生。
辜负江南好风景，
杏花时节在边城。

1901年4月5日作于天津

赠津中同人

千秋功罪公评在，
我本红羊劫外身。
自分聪明原有限，
羞将事后论旁人。

1901 年 4 月作于天津

日夕登轮

感慨沧桑变，天边极目时。
晚帆轻似箭，落日大如箕。
风倦旌旗走，野平车马驰。
河山悲故国，不禁泪双垂。

1901年4月作于自津返沪途中

舟泊燕台

澄澄一水碧琉璃，
长鸣海鸟如儿啼。
晨日掩山白无色，
□□□□青天低。

1901 年 4 月作于自津返沪途中

轮中枕上闻歌口占

子夜新声碧玉环，
可怜肠断念家山。
劝君莫把愁颜破，
西望长安人未还。

1901 年 4 月作于自津返沪途中

书赠苹香

三首

沧海狂澜聒地流，新声怕听四弦秋。
如何十里章台路，只有花枝不解愁。

最高楼上月初斜，惨绿新愁掩映遮。
我欲当筵拼一笑，那堪重听《后庭花》？

残山剩水说南朝，黄浦东风夜卷潮。
《河满》一声惊掩面，可怜肠断玉人箫。

1901 年农历六月十六日于上海

和補园居士韵又赠苹香（四首）

漫将别恨怨离居，一幅新愁和泪书。
梦醒扬州狂杜牧，风尘辜负女相如。

马樱一树个侬家，窗外珠帘映碧纱。
解道伤心有司马，不将幽怨诉琵琶。

伊谁情种说神仙，恨海茫茫本孽缘。
笑我风怀半消却，年年参透断肠禅。

闲愁检点付新诗，岁月惊心鬓已丝。
取次花丛懒回顾，休将薄幸怨微之。

1901 年农历六月十六日作于上海

七月七夕
在谢秋云妆阁重有感诗以谢之

风风雨雨忆前尘，悔煞欢场色相因。
十日黄花愁见影，一弯眉月懒窥人。
冰蚕丝尽心先死，故国天寒梦不春。
眼界大千皆泪海，为谁惆怅为谁颦？

1902 年农历七月初七日作于上海

重游小兰亭口占

重游小兰亭，风景依稀，心绪殊恶，

口占二十八字题壁，时壬寅九月望一日也。

一夜西风蓦地寒，
吹将黄叶上栏干。
春来秋去忙如许，
未到晨钟梦已阑。

1902 年农历九月十四日作于上海

和冬青馆主题京伶瑶华画扇四绝

素心一瓣证前因，恻恻灵根渺渺神。
话到花年怨迟暮，美人香草哭灵均。

瑶华工绘兰有清古之趣

承平歌舞忆京华，紫陌青骢踏落花。
记得春风楼畔路，琵琶弹彻雁行斜。

瑶华善弹琵琶负重名为长安诸伶之冠

鼙鼓渔阳感劫尘，莺花无复旧时春。

自去年变起 谢绝尘纲 不复弹此调矣

潇潇暮雨徐娘怨，忆否江南梦里人。

沪上女校书徐琴仙亦擅琵琶 今老矣犹零落风尘

长安子弟叹飘零，曾向红羊劫里经。

去年乱后 大半来沪

莫问开元太平曲，伤心回首旧门庭。

1903 年作于上海

甲辰二月望日歌筵赋此叠韵

莽莽风尘窣地遮，乱头粗服走天涯。
樽前丝竹销魂曲，眼底欢嬉薄命花。

浊世半生人渐老，中原一发日西斜。
只今多少兴亡感，不独隋堤有暮鸦。

1904 年农历二月十五日作于上海

书愤

文采风流上座倾，眼中竖子遂成名！
某山某水留奇迹，一草一花是爱根。

休矣著书俟赤乌，悄然挥扇避青蝇。
众生何用干霄哭，隐隐朝廷有笑声。

1904 年 4 月 4 日寒食节作于上海

照红词客介香梦词人属题采菊图为赋二十八字

田园十亩老烟霞，
水绕篱边菊影斜。
独有闲情旧词客，
春花不惜惜秋花。

1904 年作于上海

冬夜客感

纸窗吹破夜来风，砭骨寒添漏未终。
云掩月殢光惨白，帘飘烛影焰摇红。

无心难定去留计，有泪常抛梦寐中。
烦恼自寻休息怨，待将情事诉归鸿。

1904 年 12 月作于上海

为沪学会撰
《文野婚姻新戏册》既竟系之以诗

其一

床第之私健得耻，为气任侠有奇女。
鼠子胆裂国魂号，断头台上血花紫。

其二

东邻有儿背佝偻，西邻有女犹含羞。
蟪蛄宁识春与秋，金莲鞋子玉搔头。

其三

河南河北间桃李，点点落红已盈咫。

自由花开八千春，是真自由能不死。

其四

誓度众生成佛果，为现歌台说法身。

孟旃不作吾道绝，中原滚地皆胡尘。

1905 年春作于上海

滑稽传题词四绝

其一

斗酒亦醉石亦醉，到心惟作平等观。
此中消息有盈朒，春梦一觉秋风寒。

淳于髡

其二

中原一士多奇姿，纵横宇合卑莎维。
（自注：莎士比亚，维白新德。）
人言毕肖在须眉，茫茫心事畴谁知。

优孟

其三

鹦鹉伺人工趣语，杜鹃望帝凄春心。

太平歌舞且抛却，来向神州忾陆沉。

优旃

其四

南山豆苗肥复肥，北山猿鹤飞复飞。

我欲蹈海乘风归，琼楼高处斜阳微。

东方朔

1904 年作于上海

春风

春风几日落红堆，明镜明朝白发摧。
一颗头颅一杯酒，南山猿鹤北山莱。
秋娘颜色娇欲语，小雅文章凄以哀。
昨夜梦游王母国，夕阳如血染楼台。

1906年春作于日本东京

人病

人病墨池干，南风六月寒。
肺枯红叶落，身瘦白衣宽。
入世儿侪笑，当门景色阑。
昨宵梦王母，猛忆少年欢。

1906 年作

醉时

醉时歌哭醒时迷，甚矣吾衰慨凤兮。
帝子祠前芳草绿，天津桥上杜鹃啼。
空梁落月窥华发，无主行人唱大堤。
梦里家山渺何处，沉沉风雨暮天西。

原题为《凤兮》

1906 年 8 月作于自日本回国省亲途中

昨夜

昨夜星辰人倚楼，
中原咫尺山河浮。
沉沉万绿寂不语，
梨华一枝红小秋。

1906 年 8 月
作于自日本回国省亲途中

初梦

鸡犬无声天地死，风景不殊山河非。

妙莲华开大尺五，弥勒松高腰十围。

恩仇恩仇若相忘，翠羽明珠绣裲裆。

隔断红尘三万里，先生自号水仙王。

1907 年作于日本留学期间

帘衣

帘衣一桁晚风轻，艳艳银灯到眼明。
薄幸吴儿心木石，红衫娘子唤花名。
秋于凉雨燕支瘦，春入离弦断续声。
后日相思渺何许，芙蓉开老石家城。

1907 年作

原诗作题为《无题》

咏菊

姹紫嫣红不耐霜，繁华一霎过韶光。
生来未借东风力，老去能添晚节香。
风里柔条频损绿，花中正色自含黄。
莫言冷淡无知己，曾有渊明为举觞。

1912 年春作于上海

题丁慕琴绘《黛玉葬花图》二绝

其一

收拾残红意自勤，携锄替筑百花坟。
玉钩斜畔隋家冢，一样千秋冷夕曛。

其二

飘零何事怨春归，九十韶光花自飞。
寄语芳魂莫惆怅，美人香草好相依。

1912 年春作于上海

题梦仙花卉横幅

梦仙大妹，幼学于王弢园先辈，能文章诗词。又就灵鹣京卿学画，画宗七芗家法，而能得其神韵，时人以出蓝誉之。是画作于庚子九月，时余方奉母城南草堂。花晨月夕，母辄招大妹说诗评画，引以为乐。大妹多病，母为治药饵，视之如己出。壬寅荷花生日，大妹逝。越三年乙巳，母亦弃养。余乃亡命海外，放浪无赖。回忆曩日，家庭之乐，唱和之雅，恍惚殆若隔世矣。今岁幻园姻兄示此幅，索为题辞。余恫逝者之不作，悲生者之多艰。聊赋短什，以志哀思。

人生如梦耳，哀乐到心头。

洒剩两行泪，吟成一夕秋。

慈云渺天末，明月下南楼。

（今春过城南草堂旧址，楼台杨柳，大半荒芜矣）

寿世无长物，丹青片羽留。

——甲寅秋七月李息时客钱塘

1914年农历7月作于杭州

题陈师曾荷花小幅

师曾画荷花，昔藏余家。癸丑之秋，以贻听泉先生同学。今再展玩，为缀小词。时余将入山坐禅，慧业云云，以美荷花，亦以是自劭也。丙辰寒露。

一花一叶，孤芳致洁。
昏波不染，成就慧业。

1916年10月作于杭州

贻王海帆先生

孤山归寓，成小诗书扇，贻王海帆先生。

文字联交谊，相逢有宿缘。
社盟称后学，科第亦同年。
抚碣伤禾黍，怡情醉管弦。
西湖风月好，不慕赤松仙。

“文字联交谊，相逢有宿缘”——前年五月，南社同人雅集湖上，如识先生。

“社盟称后学”——先生长余三十二岁。

“科第亦同年”——岁壬寅，余与先生同应浙江乡试，先生及第。

“抚碣伤禾黍”——今岁余侍先生游孤山，先生抚古墓碑，视皇清二字未磨灭，感喟久之。

“怡情醉管弦”——孤山归来，顾曲于湖上歌台。

“不慕赤松仙”——近来余视见世为乐土，先生亦赞此说。

1917 年作于杭州

为红菊花说偈

辛巳冬初，积阴凝寒。传贯上人赠余红菊花一枝，为说此偈。

亭亭菊一枝，
高标矗晚节，
云何色殷红？
殉教应流血。

1941 年 10 月初作于晋江福林寺

老少年曲

梧桐树，西风黄叶飘，夕日疏林杪。

花事匆匆，零落凭谁吊。

朱颜镜里凋，白发愁边绕。

一霎光阴，底是催人老，

有千金，也难买韶华好。

1900 年冬作于上海城南草堂

南浦月

将北行矣，留别海上同人。

杨柳无情，丝丝化作悉千缕。
惺忪如许，萦起心头绪。

谁道销魂，尽是无凭据。
离亭外，一帆风雨，只有人归去。

1901年作于上海

西江月

宿塘沽旅馆

残漏惊人梦里，孤灯对景成双。
前尘渺渺几思量，只道人归是谎。

谁说春宵苦短？算来竟比年长。
海风吹起夜潮狂，怎把新愁吹涨？

1901 年春作于自沪返津省亲途中

金缕曲

将之日本留别祖国并呈同学诸子。

披发佯狂走。
莽中原，暮鸦啼彻，几枝衰柳。
破碎河山谁收拾，零落西风依旧，
便惹得离人消瘦。
行矣临流重太息，说相思，刻骨双红豆。

愁黯黯，浓于酒。
漾情不断淞波溜。
恨年来絮飘萍泊，遮难回首。

二十文章惊海内，毕竟空谈何有？

听匣底苍龙狂吼。

长夜凄风眠不得，度群生那惜心肝剖？

是祖国，忍孤负！

1905 年秋作于上海

喝火令

哀国民之心死

故国鸣鹎鹀，垂杨有暮鸦。
江山如画日西斜。
新月撩人，窥入碧窗纱。
陌上青青草，楼头艳艳花。
洛阳儿女学琵琶。
不管冬青一树属谁家，
不管冬青树底影事一些些。

1906 年 8 月因患病自日本返津养病时作

满江红

民国肇造志感

皎皎昆仑山顶月，有人长啸。
看囊底、宝刀如雪，恩仇多少。
双手裂开鼷鼠胆，寸金铸出民权脑。
算此生不负是男儿，头颅好。
荆轲墓，咸阳道；聂政死，尸骸暴。
尽大江东去，余情还绕。
魂魄化成精卫鸟，血华溅作红心草。
看从今，一担好山河，英雄造。

1912 年作于天津

南南曲

赠黄南二君

在昔佛菩萨，趺坐赴莲池。

始则拈花笑，继则南南而有辞。

南南梵呗不可辨，分身应化天人师。

或现比丘，或现沙弥，

或现优婆塞，或现优婆夷，

或现丈夫、女子、

宰官司诸像为说法，

一一随意随化皆天机。

以之度众生，非结贪嗔痴。

色相声音空不染，法语南南尽归依。

春江花月媚，舞台装演奇。

偶遇南南君，南南是耶非？

听南南，南南咏昌霓；

见南南舞柘枝，

南南不知之，

我佛行深般若波罗蜜多时。

1912 年 7 月作于上海

玉连环影

为丙尊题小梅花屋图

屋老。

一树梅花小。

住个诗人，添个新诗料。

爱清闲，爱天然；

城外西湖，湖上有青山。

甲寅立春节息翁

1914 年作于杭州

月夜游西湖归寝

正红墙斜倚，天外笙歌起。
更碧云无际，眼底哀欢里。
故宫禾黍已成蹊，
《清溪》《水调》哀而厉。
剩有嫦娥停机窃笑，
“天上人间异”。

歌

送别

长亭外，
古道边，
芳草碧连天；
晚风拂柳笛声残，
夕阳山外山。

天之涯，
地之角，
知交半零落；
一杯浊酒尽如欢，
今宵别梦寒。

1913 年作

月

仰碧空明明，朗月悬太清；
瞰下界扰扰，尘欲迷中道；
惟愿灵光普万方，荡涤垢滓扬芬芳。
虚渺无极，圣洁神秘，灵光常仰望！

仰碧空明明，朗月悬太清；
瞰下界暗暗，世路多愁叹！
惟愿灵光普万方，拔除痛苦散清凉。
虚渺无极，圣洁神秘，灵光常仰望！

1913～1918年

晚钟

大地沉沉落日眠，平墟漠漠晚烟残；
幽鸟不鸣暮色起，万籁俱寂丛林寒。
浩荡飘风起天杪，摇曳钟声出尘表；
绵绵灵响彻心弦，幻幻幽思凝冥杳。
众生病苦谁持扶？尘网颠倒泥涂污，
惟神愍恤敷大德，拯吾罪恶成正觉；
誓心稽首永皈依，瞑瞑入定陈虔祈。

倏忽光明烛太虚，云端仿佛天门破；

庄严七宝迷氤氲，瑶华翠羽垂缤纷。

浴灵光兮朝圣真，拜手承神恩！

仰天衢兮瞻慈云，若现忽若隐。

钟声沈暮天，神恩永存在。

神之恩，大无外！

1913 ~ 1918 年

忆儿时

春去秋来，岁月如流，游子伤飘泊。

回忆儿时，家居嬉戏，光景宛如昨。

茅屋三椽，老梅一树，树底迷藏捉。

高枝啼鸟，小川游鱼，曾把闲情托。

儿时欢乐，斯乐不可作。

儿时欢乐，斯乐不可作。

1913 ~ 1918 年

人与自然界

严冬风雪擢贞干，
逢春依旧郁苍苍。
吾人心志宜坚强。
历尽艰辛不磨灭，
惟天降福俾尔昌。

浮云掩星星无光，
云开光彩逾芒芒。
吾人心志宜坚强。
历尽艰辛不磨灭，
惟天降福俾尔昌。

1913 年～1918 年

化身

化身恒河沙数，发大音声。

尔时千佛出世，瑞霭氤氲。

欢喜欢喜人天，梦醒兮不知年。

翻倒四大海水，众生皆仙。

1905 年

我的国

东海东，波涛万丈红。
朝日丽天，云霞齐捧。
五洲惟我中央中。
二十世纪谁称雄，
请看赫赫神明种。
我的国，我的国，
我的国万岁，万岁万万岁。

昆仑峰，缥缈千寻耸。
明月天心，众星环拱。
五洲惟我中央中。

二十世纪谁称雄，

请看赫赫神明种。

我的国，我的国，

我的国万岁，万岁万万岁。

1906年作

大中华

万岁，万岁，万岁！

赤县膏腴神明裔。

地大物博，相生相济，

建国五千余岁。

振衣昆仑之巅，濯足扶桑之漪。

山川灵秀所钟，人物光荣永垂。

猗欤哉，伟欤哉，仁风翔九畿；

猗欤哉，伟欤哉，威灵镇四夷。

万岁，万岁，万万岁！

1912 年

春郊赛跑

跑！跑！跑！
看是谁先到。
杨柳青青，桃花带笑。
万物皆春，男儿年少。
跑！跑！
跑！跑！
跑！
锦标夺得了。

1906 年

西湖

看明湖一碧，六桥锁烟水。
塔影参差，有画船自来去。
垂杨柳两行，绿染长堤。
飏晴风，又笛韵悠扬起。

看青山四围，高峰南北齐。
山色自空濛，有竹木媚幽姿。
探古洞烟霞，翠扑须眉。
霅暮雨，又钟声林外起。

大好湖山如此，独擅天然美。
明湖碧无际，又青山绿作堆。
漾晴光潋滟，带雨色幽奇。
靓妆比西子，尽浓淡总相宜。

1913 ~ 1918 年

隋堤柳

甚西风吹醒隋堤衰柳，江山非旧，
只风景依稀凄凉时候。
零星旧梦半沉浮，说阅尽兴旺遮难回首。
昔日珠帘锦幕，有淡烟一抹纤月银钩，
剩山残水故国秋。
知否，知否，眼底离离麦秀？
说甚无情，青丝豌到心头。
杜鹃啼血哭神州，海棠有泪伤秋瘦。
深愁浅愁难消受，谁家庭院笙歌又。

1906 年

悲秋

西风乍起黄叶飘，日夕疏林杪。
花事匆匆，梦影迢迢，零落凭谁吊。
镜里朱颜，愁边白发，光阴催人老，
纵有千金，
纵有千金，
千金难买人少。

1913 ~ 1918 年

护生画集

题赞

李（圆净）、丰（子恺）二居士，发愿流布《护生画集》，盖以艺术之方便，人道主义为宗趣。每画一页，附白话诗，选录古德者七首，余皆贤瓶道人补题。并书二偈，而为回向。

我依画意，为白话诗。意在导俗，不尚文词。普愿众生，承斯。同发菩提，往生乐国。

题词

众生

是亦众生，与我体同。

应起悲心，怜彼昏蒙。

普劝世人，放生戒杀。

不食其肉，乃谓爱物。

生的扶持

一蟹失足，二蟹持扶，

物知慈悲，人何不如！

今日与明朝

日暖春风和，策杖游郊园，
双鸭泛清波，群鱼戏碧川。
为念世途险，欢乐何足言？
明朝落网罟，系颈陈市廛。
思彼刀砧苦，不觉悲泪潸！

母之羽

雏儿依残羽，殷殷恋慈母。
母亡儿不知，尤复相环守。
念此亲爱情，能勿凄心否？

《感应类钞》云：

“眉州鲜于氏，因合药，碾一蝙蝠为末。及和剂时，有数小蝙蝠围聚其上，面目未开，盖识母气而来也。一家为之洒泪。”今略拟其意，作“母之羽”图。

亲与子

今日尔吃他，将来他吃尔，
循环做主人，同是亲与子。

参用宋黄庭坚诗句。

扶桑（日本）风俗，有以鸡肉与卵置于饭上而食之者，名“亲子丼”。

“亲”谓父母，“子”谓儿女。

“丼”者，彼邦俗解，谓是陶制大碗也。

鸡为“亲”，卵为“子”，以此二物共置碗中，故曰“亲子丼”。

仁兽

麟为仁兽，灵秀所钟，
不践生草，不履生虫。
系吾人类，应知其义，
举足下足，常须留意。
既勿故杀，亦勿误伤，
长我慈心，存我天良。

儿时读《毛诗·麟趾章注》云：

“麟为仁兽，不践生草，不履生虫。”余讽其文，深为感叹。四十年来，未尝忘怀。今撰护生诗歌，引述其义。后之览者，幸共知所警惕焉！

儿戏

教训子女，宜在幼时，
先入为主，终身不移。
长养慈心，勿伤物命，
充此一念，可为仁圣。

沉溺

莫谓虫命微，沉溺而不援，
应知恻隐心，是为仁之端。

暗杀

若谓青蝇污，挥扇可驱除，
岂必矜残杀，伤生而自娱。

诀别之音

落花辞枝，夕阳欲沉，
裂帛一声，凄入秋心。

生离欤 死别欤

生离尝恻恻，临行复回首，
此去不再还，念儿儿知否？

倘使羊识字

倘使羊识字，泪珠落如雨，
口虽不能言，心中暗叫苦！

乞命

吾不忍其觳觫，无罪而就死地，
普劝诸仁者，同发慈悲意。

农夫与乳母

忆昔襁褓时，尝啜老牛乳，
年长食稻粱，赖尔耕作苦，
念此养育恩，何忍相忘汝！
西方之学者，倡人道主义，
不啖老牛肉，淡泊乐蔬食，
卓哉此美风，可以昭百世！

示众

景象太凄惨，伤心不忍睹，
夫复有何言，掩卷泪如雨！

喜庆的代价

喜气溢门楣，如何惨杀戮？
唯欲家人欢，那管畜牲哭！

残废的美

好花经摧折，曾无几日香。
憔悴剩残姿，明朝弃路旁。

生机

小草出墙腰，亦复饶佳致。

我为勤灌溉，欣欣有生意。

囚徒之歌

人在牢狱，终日愁欷，

鸟在樊笼，终日悲啼。

聆此哀音，凄入心脾，

何如放舍，任彼高飞。

投宿

夕日落江渚，炊烟起村墅，

小鸟亦归家，殷殷恋旧主。

雀巢可俯而窥

人不害物，物不惊扰，
犹如明月，众星围绕。

诱杀

水边垂钓，闲情逸致，
是以物命，而为儿戏。
刺骨穿肠，于心何忍？
愿发仁慈，常起悲悯。

倒悬

始而倒悬，终以诛戮，
彼有何辜，受此荼毒？
人命则贵，物命则微，
汝自问心，判其是非。

尸林

见其生不忍见其死；
闻其声不忍食其肉。
应起悲心，勿贪口腹。

开棺

恶臭陈秽，何云美味？
掩鼻伤心，为之堕泪。
智者善思，能毋悲愧？

蚕的刑具

残杀百千命，完成一袭衣，
唯知求适体，岂毋伤仁慈？

布葛可以代绮罗，冬畏寒者宜衣驼绒，以代丝绵。

昨晚的成绩

是为恶业，何谓成绩？

宜速忏悔，痛自呵责。

发起善心，勤修慈德。

惠而不费

勿谓善小，不乐为之，

惠而不费，亦曰仁慈。

醉人与醉蟹

肉食者鄙，不为仁人，
况复饮酒，能令智昏。
誓于今日，改过自新，
长养悲心，成就慧身。

忏悔

人非圣贤，其孰无过？
犹如素衣，偶着尘涴。
改过自新，若衣拭尘，
一念慈心，天下归仁。

冬日的同乐

盛世乐太平，民康而物阜，
万类咸喁喁，同浴仁恩厚。
昔日互残杀，而今共爱亲，
何分物与我，大地一家春。

老鸭造象

罪恶第一为杀，天地大德曰生。

老鸭扎扎，延颈哀鸣，

我为赎归，畜于灵囿。

功德回施群生，愿悉无病长寿。

戊辰十一月，余乘番舶，见有老鸭囚于樊，将赍送他乡以饷病者，谓食其肉可起沉疴。余悯鸭老而将受戮，乃乞舶主为之哀请，以三金赎老鸭归。属子恺图其形，补入《画集》，聊志遗念。

杨枝净水

杨枝净水，一滴清凉，
远离众苦，归命觉王。

放生仪轨，若放生时，应以杨枝净水为物灌顶，令其消除业障增长善根。

《续护生画集》题偈

中秋同乐会

朗月光华，照临万物，
山川草木，清凉纯洁。
蠕动飞沉，团圞和悦，
共浴灵辉，如登乐国。

鹬蚌相亲

世间有渔翁，鹬蚌始相争，
若无杀生者，鹬蚌始相亲。

归市

尔不害物，物不害尔。
杀机一去，饥虎可尾。

凤在列树

凤鸟来仪，兵戈不起，
偃武修文，万邦庆喜。
凤兮凤兮 ，何德之美。

杂记

中国语言齐一说

我国各地交通不便，语言因以参差。

今汽车汽船既未遍通，有何良策能使语言齐一欤？

语言之变迁，其与进化相关系欤！荒裔野人，匪谙言词。蟠屈其指，作式以代。蛮野之状，吾不论矣。独夫弱劣之族，呰窳（zǐ yǔ）寡识。国语歧异，每不相埒。又其甚者，邻毗之间，家各异言。室人告语，他人闻之，辄为瞠目。既靡合群之力，无复爱国之想。

澌灭之原，实基于是。黑奴红种，其彰彰者。惟我祖国，语言杂遝；外人著述，颇有以是相讥讪者。晚近以还，踸踔（chěn chuō）之士，佥稔语言歧异之为我国大谬也，于是有改良语言之议。虽然，谋之不臧，获效靡自，余心恫焉。不揣梼昧，为撰《中国语言齐一说》。

语言岂历久而不变者欤？究语言之学，考世界国语所肇祖，奚不出自一干。乃递嬗递变，迄于今兹，其种类盖三千有奇矣。虽然，古昔之时，交通隔绝，其日趋于异也固宜。今则舟车交驰，千里俄顷。交通之利，邃古所无。向之由同而异者，今且有由异而同之势焉。特由异而同，其为变盖渐，匪吾人所及穷诘。然吾敢言，京垓年岁后，世界言语必有大同之一日也（我国国语，凡涉及新学术、新制造、新动植物，多假他国字音以为名，此亦一证）。以一国言之，其变迁之迹，尤为凿凿可据。日本九州岛大阪，语言向与东京不相埒（liè）。乃自交通频繁，不十余稔，骎骎有划一之风。变迁之迅，盖有如此。若以我国言之，进步之迅，远不逮日本。然其迹亦有可按者。自遂古迄近世，黄河流域，若豫，若鲁，若燕，若晋，若秦，佥为帝都，举中原衣冠之士凑集焉。故其语言多相若。厥后，隋炀浚运河，南北统一，而南方之语言一变。金陵为帝都垂四百年，长江之交通日绵，而南方之语言又一变。迄今长江流域与黄河流域之语言，相似者多，职是故也。自兹而外，若滇，若黔，若粤西，其民族土著盖鲜，来自他乡者居泰半，故语言变迁最着，无撑犁孤涂之病。若夫吴越南境，闽南粤东两省，晚近交通始盛，语言之变迁，犹未显着，故与他省较然不相似。以上所言，盖其大略。晰而言之，彼黄河长江流域之语言，虽曰略同，岂无歧异者在？矧夫以全国计之，语言之歧异者，实居其多数也。语言歧异，为国之羞。齐一之法，夫何可缓！汽船汽车，既未遍通，听诸天然，近效莫得。无已，其假诸人力乎！

假诸人力，必自教育始矣。

教育之道有二 ——

甲：设官话学堂

乙：学堂设官话学科

准兹二者，则乙为优。设官话学科于中学、小学，不若设于蒙学。年愈稚，习语言愈易，其利一；教育普及，其利二；习此可以兼通文法大纲，官话教科书中，单字依文法大纲排列，其利三；蒙学毕业入小学，即一例用官话，凡寻常应对，课堂授受，无须再用土白，其利四；此其学制也。若夫教授之法，近人论者盖鲜。然以华人授外人土白之例行之，则未可也。今拟教授之法数端如左 ——

一、设官话师范讲习所

择通达国文而能操纯官音者，官音以北京官音为准，非指各地官音；言亦非指北京土音言。其间区别，通北京语言者，自能辨之。入堂讲习，授以教授之方法。盖精于语言者，未必长于教授。故师范讲习所必不可缺。

二、官话教科书当因地制宜

各省土音互异者无论矣。即一县之内，乡镇与城市，土音亦有微异者。宜专订教科书，无稍假借。盖教授官话，必用土音为之比较也。

三、教科书编辑法

大纲凡二 ——甲 区别

区别为三类：

一曰异音，即字同而音异者。如“黄”

字，沪音作wong，官音作whong之类是huang；

二曰异字，分两种。意同而用字异者，如沪称“晓得”，官话作“知道”之类是；用字反背者，如有人持柬速驾，沪语则应之曰“就来”。官话则应之曰“就去”。“来”与“去”为反背词。此种异字虽少，然亦不可不知。

三曰异文法，即句法微异者。如沪语“侬阿曾晓得”？官话作“你知道吗”？“阿曾”即“吗”字，皆有疑问口吻，唯一则列于中间，一则列于语尾之不同是。

乙 次序

每课次序，如英文法程序，最便初学。首列单字，括有异音、异字两类。其排列秩序，宜依通行文法为之分类。例如，第一课单字，皆列名词；第二课，皆列形容词。与英文法程单字排列法相同。唯排列既依文法例，则异音、异字两类，不妨掺杂，可以助学者强记之力。单字下列异文法。唯此种无多，不必每课皆列入。次列官话十数句，即用从前已读之字拼成者。教授时，教员口诵，由学者译成文理默出，如近日学堂课程中译俗之例。约翰书院中文课程有“译俗”一门，其法，由教员用土白诵文一首，学者译成文理默出。今则易土白为官话，是其稍异处。又次，列土白十数句，即用从前已读之字拼成者。教授时，教员口诵土白，由学者口译为官音。

四、练习法

习官话半年，寻常应对，即可通用官话。偶有讹误，无须苛责。练习既久，自能纯一。期年小成，二年大成。苟教授得法，虽中材以下，亦能臻此程度。

按：蒙学堂学期泰半四年，官话学科宜编入第三年蒙学课程内，每星期占二时。

乌乎，英墟印度，俄吞波兰，佥以灭绝国语为首务。然则国语顾不重哉！文明之进步系于是，国家之安危亦系于是。改良齐一，未可缓也。我国数稔以还，负床之孙，乳臭未脱，辄能牙牙学西语。趋承彼族，伺其颦笑，极奴颜婢膝之丑态。及闻本国语言，反多瞠目不解者。沉沉支那，哀哀同胞，其将蹈印度之覆辙邪，抑将步波兰之后尘耶？乌乎，吾国民其何择！

学堂用经传议

学堂用经传，宜以何时诵读，何法教授，始能获益？

吾国旧学，经传尚矣。独夫秦汉以还，门户攸分，入主出奴，波谲未已。逮及末流，或以笺注相炫，或以背诵为事。骛其形式，舍其精神。而矫其弊者，则又鄙经传若为狗，因噎废食，必欲铲除之以为快。要其所见，皆偏于一，非通论也。乃者学堂定章，特立十三经一科。迹其方法，笃旧已甚，迂阔难行，有断然者。不佞沉研兹道有年矣，姑较所见，以着于篇。知言君子，或有取于是焉。

甲 区时 我国旧俗，乳臭小儿，入塾不半稔，即授以《学》《庸》。夫《大学》之道，至于平天下，《中庸》之道极于无声臭，岂弱龄之子所及窥测！不知其不解而授之，是大愚也。知其不解而强授之，是欺人也。今别其次序，区时为三——一，蒙养，授十三经大意。此书尚无编定本，宜由通人撮取经传纲领总义，编辑成书。文词尚简浅，全编约三十课。每课不逾五十字，俾适合于蒙养之程度。凡蒙学堂末一年用之，每星期授一课，一年可读毕三十课，示学者以经传之门径。二，小学，授《孝经》《论语》《尔雅》。《孝经》为古伦理学，虽于伦理学全体未完备，然其程度适合小学。《论语》为古修身教科书，于私德一义，言之綦翔。庄子称“孔子内圣之道在《论语》”，极有见。《尔雅》为古辞典，为小学必读之书。读此再读古籍，自有左右逢源之乐。三，中学，授《诗》《孟子》《书》《春秋》，三《传》、三《礼》、《易》、《中庸》。《诗经》为古之文集（章诚斋《诗教篇》翔言之）。有言情、达志、敷陈、讽谕、抑扬、涵泳诸趣意，宜用之为中学唱歌集。其曲谱取欧美旧制，多合用者。（余曾取《一剪梅》《喝火令》《如梦令》诸词，填入法兰西曲谱，亦能合拍。可见乐歌一门，非有中西古今之别。）如略有参差，则稍加点窜，亦无不可。

欧美曲谱，原有随时编订之例，毋待胶柱以求也。《孟子》于政治、哲学佥有发明。近人有言曰：“举中国之百亿万群书，莫如《孟子》”，持论至当。《书经》为本国史，《春秋》，三《传》为外交史，皆古之历史也。刘子元判史体为六家，而以《尚书》《春秋》《左传》列焉，可云卓识。三《礼》皆古制度书，言掌故者所必读。晰而言之，《周礼》属于国，《仪礼》属于家，《礼记》条理繁富，不拘一格，为古学堂之普通读本。此其异也。若夫《易经》《中庸》，同为我国古哲学书。汉儒治《易》喜言数，宋儒治《易》喜言理。然其立言，皆不无偏宕，学者宜会通观之。《中庸》自《汉书·艺文志》裁篇别出，后世刊行者皆单行本。其理想精邃，决非小学所能领悟，中学程度授之以此，庶几近之。

乙　窜订　笃旧小儒，其斥人辄曰“离经叛道”，是谬说也。经者，世界上之公言，而非一人之私言。圣人不以经私诸己，圣人之徒不以其经私诸师。兹理至明，靡有疑义。后世儒者，以尊圣故，并尊其书。匪特尊其书，并其书之附出者亦尊之，故十三经之名以立。而扬雄作《法言》，人讥其拟《论语》；作《太玄》，人讥其拟《易》。王通作《六籍》，人讥其拟圣经。他若毛奇龄作《四书改错》，人亦讥其非圣无法。以为圣贤之言，亘万古，衮九垓，断无出其右者，且非后人可以拟议之者。虽然，前人尊其义，因重其文；后儒重其文，转舍其义。笺注纷出，门户互争。《大学》“明德”二字，汉儒据《尔雅》，宋儒袭佛典，其考据动数千言。秦延君说《尧典》篇目，两字之说十万言。说“曰若稽古”四字三万言。甚至一助词一接续词之微，亦反复辩论，不下千言。一若前人所用一助词一接续词，其间精义，已不可枚举。亦知圣贤之微言大义，断不在此区区文字间乎！矧夫晚近以还，新学新理，日出靡已，所当研究者何限，其理想超轶我经传上者又何限！而经传所以不忍遽废者，亦以国粹所在耳。一孔之儒，喜言高远，犹且故作伟论，强人以难。夫强人以难，中人以下之资，其教育断难普及，是救其亡，适以促其亡也。与其故作高论促其亡，曷若变通其法蕲其存！变通其法，舍删窜外无他求。删其冗复，存其精义；窜其文词，易以浅语，此删窜之法也。若夫经传授受之源流，古今经师之家法，诸儒笺注之异同，必一一研究，最足害学者之脑力，是求益适以招损。今编订经传释义，皆以通行之注释为准，凡异同之辨，概付阙如，免淆学者之耳目。此订正之法也。

《孝经》《论语》皆小学教科书，删其冗复，存者约得十之六七。易其章节体为问答体（如近编之《地理问答》《历史问答》之格式是。）眉目清晰，条理井然，学者读之，自较章节体为易领会。唯近人编辑问答教科书，其问题每多影响之处。答词不能适如其的，不解名学故也。脱以精通名学者任编辑事，自无此病。

《尔雅》前四篇，鲜可删者，其余凡有冷僻名词不经见者，宜酌为删去。原文简明，甚便初学，毋俟润色。《尔雅图》，可以助记忆之力，宜择其要者补入焉。

《诗经》作唱歌用，体裁适合，无事删润。

《孟子》亦宜改为问答体，删润其原文，以简明为的。近人《孟子微》，颇有新意，可以参证。

《尚书》原文，最为奥衍。宜用问答体，演成浅近文字。

《春秋》三《传》，唯《左传》纪事最为翔实。刘子元《申左篇》尝言之矣。今当统其事实之本末，编为问答体（或即用《左传纪事本末》为蓝本，而删润其文）。以为课本。其《公》《榖》二《传》，用纪事本末体，略加编辑，作为参考书。

近人孙治让撰《周礼政要》，取舍綦当，比附亦精，颇可用为教科书。近今学堂用者最多。唯论词太繁。宜总括大义，加以润色。每节论词，不可逾百字。

《仪礼》宜删者十之八，仅通大纲已足。

《礼记》宜删者十之六。以上两种，皆用问答体。

我国言《易》《中庸》，多涉理障。宜以最浅近文理，用问答体为之。日儒着《支那文明史》《支那哲学史》，言《易》理颇有精义，可以参证。

问答体教科书，欧日小学堂有用之者。我国今日既革背诵之旧法，而验其解悟与否，必用问答以发明。唯经传意义艰深，条理紊杂，以原本授学者，行问答之法，匪特学者不能提要钩元，为适合之答词，即教者亦难统括大意，为适合之问题。（今约翰书院读《书经》《礼记》《孟子》《论语》等，佥用原本教授，而行问答之法。教者、学者两受其窘。）吾谓，编辑经传教科书，泰半宜用问答体，职是故也。

乌乎，处今日之中国，吾不敢言毁圣经，吾尤不忍言尊圣经。曷言之？过渡时代，青黄莫接。向之圣经，脱骤弃之若敝屣，横流之祸，吾用深惧。然使千百稔后，圣经在吾国犹如故，而社会之“崇拜圣经者，亦如故”。是尤吾所恫心者也。不观英儒颉德之言乎：“物不进化，是唯母死。死也者，进化之母。其始则优者胜，劣者死，厥后最优者出。向所谓优者，亦寖相形而劣而死。其来毋始，其去毋终。递嬗靡已，文化以进。”我族开化早于他国，二千稔来，进步盖鲜。何莫非圣经不死有以致之欤！一孔之士，顾犹尊之若鬼神，宝之若古董，譬诸日月经天，江河行地。是亦未审天演之公例也。前途茫茫，我忧孔多。撰《学堂用经传议》既竟，附书臆见如此。愿与大雅宏达共商榷焉。

慈说

岁在娵訾，余来三衢，居大中祥符，始识江山毛居士。尔后复归莲花寺，居士时复损书咨询佛法，并乞梵名。命名曰“慈”，字曰“慈根”。

尔将入山埋遁，居士哀恋，请释名字之义，以志念焉。经论言“慈”者数矣，夫举一途，示其大趣。

《华严经·修慈分》云：“凡有众生，为求菩提，而修诸行，愿常安乐者，应修慈心，以自调伏。如是修习，于念念中，常具修行六波罗蜜，速得圆满无上正觉。”

《梵网经》云：“若自杀，教人杀，乃至一切有命者不得故杀。是菩萨应起常住慈悲心、孝顺心，方便救护一切众生。”

《观无量寿佛经》云：“上品上生者。有三种众生，当得往生。一者慈心不杀，具诸戒行。”

夫如来制戒，不杀为首。而上品上生，亦首云“不杀”。故知修慈心者，戒杀为先。居士勖哉！善弘其事，以是勤勤自励，并以告诫他人。守兹一行，戴荷终身，斯谓不负其名矣。

并示偈曰：

慈者德之本，慈者福之基。

云何修慈心，应先戒残杀。

若人闻是说，至诚心随喜。

离苦受诸乐，往生安养国。

永宁晚晴院沙门论月撰

人生之最后

岁次壬申十二月，厦门妙释寺念佛会请余讲演，录写此稿。于时了识律师卧病不起，日夜愁苦。见此讲稿，悲欣交集，遂放下身心，屏弃医药，努力念佛。并扶病起，礼大悲忏，吭声唱诵，长跽经时，勇猛精进，超胜常人。见者闻者，靡不为之惊喜赞叹，谓感动之力有如是剧且大耶。余因念此稿虽仅数纸，而皆撮录古今嘉言及自所经验，乐简略者或有所取。

乃为治定，付刊流布焉。

弘一演音记

第一章 绪言

古诗云：

我见他人死，我心热如火；

不是热他人，看看轮到我。

人生最后一段大事，岂可须臾忘耶！

今为此讲述，次分六章，如下所列。

第二章 病重时

当病重时，应将一切家事及自己身体悉皆放下。专意念佛，一心希冀往生西方。能如是者，如寿已尽，决定往生；如寿未尽，虽求往生而病反能速愈，因心至专诚，故能灭除宿世恶业也。倘不如是放下一切专意念佛者，如寿已尽，决定不能往生，因自己专求病愈不求往生，无由往生故；如寿未尽，因其一心希望病愈，妄生忧怖，不惟不能速愈，反更增加病苦耳。

病未重时，亦可服药，但仍须精进念佛，勿作服药愈病之想。病既重时，可以不服药也。余昔卧病石室，有劝延医服药者，说偈谢云：“阿弥陀佛，无上医王，舍此不求，是谓痴狂。一句弥陀，阿伽陀药，舍此不服，是谓大错。”因平日既信净土法门，谆谆为人讲说；今自患病，何反舍此而求医药，可不谓为痴狂大错耶！

若病重时，痛苦甚剧者，切勿惊惶。因此病苦，乃宿世业障。或亦是转未来三途恶道之苦，于今生轻受，以速了偿也。

自己所有衣服诸物，宜于病重之时，即施他人。若依《地藏菩萨本愿经·如来赞叹品》所言供养经像等，则弥善矣。

若病重时，神识犹清，应请善知识为之说法，尽力安慰。举病者今生所修善业，一一详言而赞叹之，令病者心生欢喜，无有疑虑，自知命终之后，承斯善业，决定生西。

第三章 临终时

临终之际，切勿询问遗嘱，亦勿闲谈杂话。恐彼牵动爱情，贪恋世间，有碍往生耳。若欲留遗嘱者，应于康健时书写，付人保藏。

倘自言欲沐浴更衣者，则可顺其所欲而试为之。若言不欲，或噤口不能言者，皆不须强为。因常人命终之前，身体不免痛苦。倘强为移动沐浴更衣，则痛苦将更加剧。世有发愿生西之人，临终为眷属等移动扰乱，破坏其正念，遂致不能往生者，甚多甚多。又有临终可生善道，乃为他人误触，遂起嗔心，而牵入恶道者，如经所载——

阿耆达王死堕蛇身，岂不可畏。

临终时，或坐或卧，皆随其意，未宜勉强。若自觉气力衰弱者，尽可卧床，勿求好看勉力坐起。卧时，本应面西右胁侧卧。若因身体痛苦，改为仰卧，或面东左胁侧卧者，亦任其自然，不可强制。

大众助念佛时，应请阿弥陀佛接引像，供于病人卧室，令彼瞩视。

助念之人，多少不拘。人多者，宜轮班念，相续不断。或念六字，或念四字，或快或慢，皆须预问病人，随其平日习惯及好乐者念之，病人乃能相随默念。今见助念者皆随己意，不问病人，既已违其平日习惯及好乐，何能相随默念。余愿自今以后，凡任助念者，于此一事，切宜留意。

又寻常助念者，皆用引磬小木鱼。以余经验言之，神经衰弱者，病时甚畏引磬及小木鱼声，因其声尖锐，刺激神经，反令心神不宁。若依余意，应免除引磬小木鱼，仅用音声助念，最为妥当。或改为大钟、大磬、大木鱼，其声宏壮，闻者能起肃敬之念，实胜于引磬小木鱼也。但人之所好，各有不同。此事必须预先向病人详细问明，随其所好而试行之。或有未宜，尽可随时改变，万勿固执。

第四章 经命终后一日

既已命终，最切要者，不可急忙移动。虽身染便秽，亦勿即为洗涤。必须经过八小时后，乃能浴身更衣。常人皆不注意此事，而最要紧。惟望广劝同人，依此谨慎行之。

命终前后，家人万不可哭。哭有何益？能尽力帮助念佛乃于亡者有实益耳。若必欲哭者，须俟命终八小时后。

顶门温暖之说，虽有所据，然亦不可固执。但能平日信愿真切，临终正念分明者，即可证其往生。

命终之后，念佛已毕，即锁房门，深防他人入内，误触亡者。必须经过八小时后，乃能浴身更衣（前文已言，今再谆嘱，切记切记）。因八小时内若移动者，亡人虽不能言，亦觉痛苦。

八小时后着衣，若手足关节硬，不能转动者，应以热水淋洗。用布揽热水，围于臂肘膝弯，不久即可活动，有如生人。

殓衣宜用旧物，不用新者。其新衣应布施他人，能令亡者获福。

不宜用好棺木，亦不宜做大坟。此等奢侈事，皆不利于亡人。

第五章 荐亡等事

七七日内，欲延僧众荐亡，以念佛为主。若诵经、拜忏、焰口、水陆等事，虽有不可思议功德，然现今僧众视为具文，敷衍了事，不能如法，罕有实益。《印光法师文钞》中屡斥诫之，谓其惟属场面，徒作虚套。若专念佛，则人人能念，最为切实，能获莫大之利矣。

如请僧众念佛时，家族亦应随念。但女众宜在自室或布帐之内，免生讥议。

凡念佛等一切功德，皆宜回向普及法界众生，则其功德乃能广大，而亡者所获利益亦更因之增长。

开吊时，宜用素斋，万勿用荤，致杀害生命，大不利于亡人。

出丧仪文，切勿铺张。毋图生者好看，应为亡者惜福也。

七七以后，亦应常行追荐以尽孝思。莲池大师谓年中常须追荐先亡。不得谓已得解脱，遂不举行耳。

第六章 劝请发起临终助念会

此事最为切要。应于城乡各地，多多设立。《饬终津梁》中有详细章程，宜检阅之。

第七章 结语

残年将尽，不久即是腊月三十日，为一年最后。若未将钱财预备稳妥，则债主纷来，如何抵挡。吾人临命终时，乃是一生之腊月三十日，为人生最后。若未将往生资粮预备稳妥，必致手忙脚乱呼爷叫娘，多生恶业一齐现前，如何摆脱。临终虽恃他人助念，诸事如法，但自己亦须平日修持，乃可临终自在。奉劝诸仁者，总要及早预备才好。

本文系弘一大师一九三三年一月在厦门妙释寺所讲

悲智颂

赠闽南佛学院同学训语

有悲无智，是曰凡夫，悲智具足，乃名菩萨，

我观仁等，悲心深切，当更精进，勤求智慧，

智慧之基，曰戒曰定，如是三学，次第应修，

先持净戒，并习禅定，乃得真实，甚深智慧，

依此智慧，方能利生，犹如莲华，不着于水，

断诸分别，舍诸执着，如实观察，一切诸法，

心意柔软，言音净妙，以无碍眼，等视众生，

具修一切，难行苦行，是为成就，菩萨之道，

我与仁等，多生同行，今得集会，生大欢喜，

不揆肤受，辄述所见，倘契幽怀，愿垂玄察。

西湖夜游记

壬子1912年七月，余重来杭州，客师范学舍。残暑未歇，庭树肇秋，高楼当风，竟夕寂坐。越六日，偕姜、夏二先生游西湖。于时晚晖落红，暮山被紫，游众星散，流萤出林。湖岸风来，轻裾致爽。乃入湖上某亭，命治茗具。又有菱芰，陈粲盈几。短童侍坐，狂客披襟，申眉高谈，乐说旧事。庄谐杂作，继以长啸，林鸟惊飞，残灯不华。起视明湖，莹然一碧；远峰苍苍，若现若隐，颇涉遐想，因忆旧游。曩岁来杭，故旧交集，文子耀斋，田子毅侯，时相过从，辄饮湖上。岁月如流，倏逾九稔。生者流离，逝者不作，坠欢莫拾，酒痕在衣。刘孝标云：“魂魄一去，将同秋草。”吾生渺茫，可唏然感矣。漏下三箭，秉烛言归。星辰在天，万籁俱寂，野火暗暗，疑似青磷；垂杨沉沉，有如酣睡。归来篝灯，斗室无寐，秋声如雨，我劳如何？日暝意倦，濡笔记之。

乐石社记

粤若稽古先圣，继天有作。创造六书，以给世用。后贤踵事，附庸艺林。金石刻划，实祖缪篆。上起秦汉，下逮珠申。彬彬郁郁，垂二千年。可谓盛已。世衰道微，士不悦学。一技之末，假手隅夷。兽蹄鸟迹，触目累累。破觚为圆，用夷变夏。典型沦丧，殆无讥焉。

不佞无似，少耽痂癖。结习所存，古欢未坠。曩以人事，羁迹武林，滥竽师校。同学邱子，年少英发。既耽染翰，尤嗜印文。校秦量汉，笃志爱古。遂约同人，集为兹社。树之风声，颜以乐石。切磋商兑，初限校友。

继乃张皇，他山取益。志道既合，声气遂孚。自冬徂春，规模寖备。复假彼故宫，为我社址。而西泠印社诸子，觥觥先进。勿弃葑菲，左提右挈。乐观厥成，滋可感也。

不佞昧道懵学，文质靡底。前鱼老马，尸位经年。伏念雕虫篆刻，壮夫不为。而雅废夷侵，贤者所耻。值猖狂颓靡之秋，结枯槁寂寞之侣。足音空谷，幽草寒琼。纵未敢自附于国粹之林，倘亦贤乎博奕云尔。爰陈梗概，备观览焉。

乙卯六月 李息翁记

断食日志

此为弘一大师于出家前两年在杭州大慈虎跑寺试验断食时所记之经过。自入山至出山，首尾共二十天。对于起居身心，详载靡遗。据大师年谱所载，时为民国五年，大师三十七岁。原稿曾由大师交堵申甫居士保存。文多断续，字迹模糊，其封面盖有李息翁章，并有日文数字。兹特向堵居士借缮，并与其详加校对，冀为刊播流通，借供众览。想亦为景仰大师者所喜闻，且得为后来预备断食者之参考也。后学陈鹤卿谨识。

丙辰（1916 年）嘉平一日始。断食后，易名欣，字叔同，黄昏老人，李息。

十一月廿二日，决定断食，祷诸大神之前，神诏断食，故决定之。

择录村井氏说：

妻之经验，最初四日，预备半断食。六月五日六日，粥、梅干。七日八日，重汤、梅干。九日始本断食，安静。饮用水一日五合，一回一合，分五六回服用。第二日，饥饿胸烧，舌生白苔。第三日四日，肩腕痛。第四日，腹部全体凝固，体倦就床，晨轻晚重。第五日，同，稍轻减，坐起一度散步。第六日，轻减，气分爽快，白苔消失，胸烧愈。第七日，最平稳，断食期至此至。后一日，摄重汤，轻二碗三回，梅干无味。后二日，同。后三日，粥、梅干、胡瓜，实入吸物。后四日，粥，吸物，少量刺身。后五日，粥、野菜、轻鱼。后六日，普通食，起床。此两三日，手足浮肿。断食期内，或体痛不能眠，或下痢，或噫。便时以不下床为宜。预备断食或一周间，粥三日，重汤四日。断食后或须一周间，重汤三日，粥四日，个半月体量恢复。半断食时服リチネ（西药Richine）。”

到虎跑携带品：被褥帐枕、米、梅干、杨子、齿磨、手巾、手帕、便器、衣、漉水布、リチネ、日记纸笔书、番茶、镜。

预备期间：一日下午赴虎跑。上午闻玉

去预备。中食饭，晚食粥、梅干。二日、三日、四日，粥、梅干。五日、六日、七日，重汤、梅干。八日至十七日断食。十八日、十九日、二十日，重汤、梅干。廿一日、廿二日、廿三日、廿四日，粥、梅干、轻菜食。廿五日返校，常食。廿八日返沪。

三十日晨，命闻玉携蚊帐、米、纸、糊、用具到虎跑。室宜清闲，无人迹，无人声，面南，日光遮北，以楼为宜。是晚食饭，拂拭大小便器桌椅。

午后四时半入山，晚餐素菜六簋，极鲜美。食饭二盂，尚未餍。因明日始即预备断食，强止之，榻于客堂楼下，室面南，设榻于西隅，可以迎朝阳。闻玉设榻于后一小室，仅隔一板壁，故呼应便捷。晚燃菜油灯，作楷八十四字。自数日前病感冒，伤风微嗽，今日仍未愈。口干鼻塞，喉紧声哑，但精神如常。八时眠，夜间因楼上僧人足声时作，未能安眠。

《觉有情》杂志编者按：

据前节所记预定期间十二月一日下午赴虎跑。而此节所记，只三十日午后四时半即已入山，当系临时改定。

十二月一日，晴，微风，五十度。断食前期第一日。疾稍愈，七时半起床。是日午十一时食粥二盂、紫苏叶二片、豆腐三小方。晚五时食粥二盂、紫苏叶二片、梅干一枚。

饮冷水三杯，有时混杏仁露，食小橘五枚。午后到寺外运动。

余平日之常课，为晨起冷水擦身，日光浴，眠前热水洗足。自今日起冷水擦身暂停，日光浴时间减短，洗足之热水改为温水，因欲使精神聚定，力避冷热极端之刺激也。对于后人断食者，应注意如下：一、未断食时练习多饮冷开水。断食初期改饮冷生水，渐次加多。因断食时日饮五杯冷水殊不易，且恐腹泻也。二、断食初期时之粥或米汤，于微温时食之，不可太热，因与冷水混合，恐致腹痛。

余每晨起后，必通大便一次。今晨如常，

但十时后屡放屁不止。二时后又打嗝儿甚多，此为平日所无。是日书楷字百六十八、篆字百零八。夜观焰口，至九时始眠。夜嗽，多恶梦，未能入眠。

二日，晴和，五十度。断食前期第二日。七时半起床，晨起无大便，是日午前十一时食粥一盂、梅一枚、紫苏叶二片。午后五时同。饮冷水三杯，食橘子三枚，因运动归来体倦故。是日舌苔白，口内粘滞，上牙里皮脱。精神如常，但过则疲倦耳，运动微觉疲倦，头目眩晕。自明日始即不运动。

晚侍和尚念佛，静坐一小时。写字百三十二，是日鼻塞。摹“大同造像”一幅。

原拓本自和尚假来，尚有三幅，明后续摹写。八时半眠，夜梦为升高跳越运动。其处为器具拍卖场，陈设箱柜几椅并玩具装饰品等。余跳越于上，或腾空飞行于其间，足不履地，灵捷异常，获优胜之名誉。旁观有德国工程师二人，皆能操北京语。一人谓有如此之技能，可以任远东大运动会之某种运动，必获优胜。余逊谢之。一人谓练习身体，断食最有效，吾二人已二日不食。余即告余现在虎跑断食，亦已预备二日矣。其旁又有一中国人，持一表，旁写题目，中并列长短之直红线数十条，知计算增减高低之表式，是记余跳越高低之顺序者。是人持以示余，谓某处由低而高而低之处，最不易跳越，赞余有超人之绝技。后余出门下土坡，屡遇西洋妇人，皆与余为礼，贺余运动之成功，余笑谢之。梦至此遂醒。余生平未尝为一次运动，亦未尝梦中运动，头脑中久无此思想，忽得此梦，至为可异，殆因胃内虚空，有以致之欤？

三日，晴和，五十二度。断食前第三日。七时半起床。是晨觉微饿，胸中扰乱，苦闷异常，口干，饮冷水。勉坐起披衣，头昏心乱，发虚汗作呕，力不能支，仍和衣卧少时。饮梅茶二杯，乃起床，精神疲倦，四肢无力。九时后精神稍复元，食橘子二枚。是晨无大便，饮药油一剂，十时半软便一次，甚畅快。

十一时水泻一次，精神颇佳，与平常无大异。十一时二十分食粥半盂、梅一个、紫苏一枚。摹“普泰造像”“天监造像”二页。饮水、食物，喉痛，或因泉水性太烈，使喉内脱皮之故。午后四时，饮水后打格笃，食小梨一个，五时食粥半盂。是日感冒伤风已愈，但有时微嗽。是日午后及晚，侍和尚念佛，静坐一小时。八时半眠。入山预断以来，即不能为长时之安眠，旋睡旋醒，辗转反侧。

四日，晴和，五十三度。断食前第四日。七时半起床。是晨气闷，心跳、口渴，但较昨晨则轻减多矣，饮冷水稍愈。起床后头微晕，四肢乏力。食小橘一枚，香蕉半个。八时半精神如常，上楼访弘声上人，借佛经三部。午后散步至山门，归来已觉微疲。是日打嗝儿甚多，口时作渴，共饮冷水四大杯。摹“大明造像”一页。写楷字八十四，篆字五十四。无大便。四时后头昏，精神稍减。食小橘二枚。是日十一时饮米汤二盂，食米粒二十余。八时就床，就床前食香蕉半个。自预备断食，每夜三时后腿痛，手足麻木（余前每逢严冬有此旧疾，但不甚剧）。

五日，晴和，五十三度。断食前第五日。七时半起床。是夜前半颇觉身体舒泰，后半夜仍腿痛，手足麻木。三时醒，口干，心微跳，较昨减轻。食香蕉半个，饮冷水稍眠。六时醒，气体甚好。起床后不似前二日之头晕乏力，精神如常，心胸愉快。到菜园采花供铁瓶。食梨半个，吐渣。自昨日起，多写字，觉左腰痛。是日腹中屡屡作响，时流鼻涕，喉中肿烂尚未愈。午后侍和尚念佛，静坐一小时，微觉腰痛，不如前日之稳静。三时食梨半个，吐渣，食香蕉半个。午、晚饮米汤一盂。写字百六十二。傍晚精神稍差，恶寒口渴。本定于后日起断食，改自明日起断食，奉神诏也。

断食期内，每日饮梨汁一个之分量，饮橘汁三小个之分量，饮毕漱口。又因信仰上每晨餐供神生白米一粒，将眠，食香蕉半个。是日无大便，七时起床。是夜神经过敏甚剧，加以鼠声人鼾声，终夜未安眠。口甚干，后半夜腿痛稍轻，微觉肩痛。

六日，晴暖，晚半阴，五十六度。断食正期第一日。八时起床。三时醒，心跳胸闷，饮冷水橘汁及梅茶一杯。八时起床，手足乏力，头微晕，执笔作字殊乏力，精神不如昨日八时半饮梅茶一杯。脑力渐衰，眼手不灵，写日记时有误字，多遗忘。九时半后精神稍可。十时后精神甚佳，口渴已愈。数日来喉中肿烂亦愈。今日到大殿去二次，计上下廿四级石级四次，已觉足乏力，为以往所无。是日共饮梨汁一个，橘汁二个。傍晚精神不衰，较胜昨日，但足乏力耳。仍时流鼻涕，晚间精神尤佳。是日不觉如何饥饿。晚有便意，仅放屁数个，仍无便。是夜能安眠，前半夜尤稳安舒泰。眠前以棉花塞耳，并诵神人合一之旨。夜间腿痛已愈，但左肩微痛。七时就床，梦变为丰颜之少年，自谓系断食之效。

七日，阴复晴，夜大风，五十四度。断食正期第二日。六时半起床。四时醒，心跳微作即愈，较前二日减轻。饮冷水甚多。六时半即起床，因是日头晕已减轻，精神较昨日为佳，且天气甚暖故早起床也。起床后饮橘汁一枚。晨览《释迦如来应化事迹图》。八时后精神不振，打呵欠，微寒，流鼻涕，但起立行动如常，午后身体寒益甚，拥被稍息。想出食物数种，他日试为之：炒饼、饼汤、虾仁豆腐、虾子面片、十锦丝、咸胡瓜。三时起床，冷已愈，足力比昨日稍健。是日无大便，饮冷水较多。前半夜肩稍痛，须左右屡屡互易，后半夜已愈。

八日，阴，大风、寒，午后时露日光，五十度。断食正期第三日。十时起床。五时醒，气体至佳，如前数日之心跳头晕等皆无。因天寒大风，故起床较迟。起床后精神甚佳，手足有力，到院内散步。四时半就床，午后益寒，因早就床。是日食欲稍动，有时觉饿，并默想各种食物之种类及其滋味。是夜安眠，足关节稍痛。

九日，晴、寒、风，午后阴，四十八度。断食正期第四日。八时半起床。四时醒，气体极佳，与常日无异。起床后精神如常，手足有力。朝日照人，心目豁爽。小便后尿管微痛，因饮水太多之故。自今日始不饮梨橘汁，改饮盐梅茶二杯。午后因饮水过多，胸中苦闷。是日午前精神最佳，写字八十四，到菜圃散步。午后寒，一时拥被稍息。三时起床，室内运动。是日不感饥饿。因天寒，五时半就床。

十日，阴，寒，四十七度。断食正期第五日。十时半起床。四时半醒，气体精神与昨同。起床后精神至佳。是日因寒故起床较迟。今日加饮盐汤一小杯。十一时杨、刘二君来谈至欢。因寒四时就床。是日写字半页。近日神经过敏已稍愈，故夜间较能安眠，但因昨日饮水过多伤胃，胃时苦闷，今日饮水较少。

十一日，阴寒、夕晴，四十七度。断食正期第六日。九时半起床。四时半醒，气体与昨同。夜间右足微痛，又胃部终不舒畅。是日口干，因寒起床稍迟，饮盐汤半杯，饮梨汁。夕晴，心目豁爽。写字百三十八。坐檐下曝日，四时就床，因寒早就床。是晚感谢神恩，誓必皈依。致福基书。

十二日，晨阴、大雾、寒，午后晴，四十八度。断食正期第七日。十一时起床。四时半醒，气体与昨同，足痛已愈，胃部已舒畅，口干，因寒不敢起床。十一时福基遣人送棉衣来，乃披衣起。饮梨汁及盐汤、橘汁。午后精神甚佳，耳目聪明，头脑爽快，胜于前数日。到菜圃散步，写字五十四。自昨日始，腹部有变动，微有便意，又有时稍感饥饿。是日饮水甚少。晚晴甚佳，四时半就床。

十三日，晨半晴半阴，后晴和，多风，五十四度。断食后期第一日。八时半起床。气体与昨同，晨饮淡米汤二盂，不知其味，屡有便意，口干后愈。饮梨汁、橘汁，十一时饮浓米汤一盂，食梅十一个，不知其味。十时服泻油少许，十一时半大便一次甚多，便色红，便时腹微痛，便后渐觉身体疲弱，手足无力。午后勉强到菜圃一次。是日不饮冷水。午前写字五十四。是日身体疲倦甚居。断食正期未尝如是。胃口未开，不感饥饿，尤不愿饮米汤，是夕勉饮一盂，不能再多饮。

十四日，晴，午前风，五十度。断食后期第二日。七时半起床。气体与昨同，夜间较能安眠。五时饮米汤一盂，口干，起床后精神较昨佳。大便轻泻一次，又饮米汤一盂，饮橘汁，食苹果半枚。是日因米汤、梅干与胃口不合，于十时饮薄藕粉一盂，炒米糕二片，极觉美味，精神亦骤加。精神复元，是日极愉快满足。一时饮薄藕粉一盂、米糕一片。写字三百八十四。腰腕稍痛，暗记诵《神乐歌序章》。四时食稀粥一盂，咸蛋半个，梅干一个。是日不感十分饥饿，如是已甚满足。五时半就床。

十五日，晴，四十九度。断食后期第三日。七时起床。夜间渐能眠，气体无异平时。拥衾饮茶一杯，食米糕三片。早食藕粉米糕，午前到佛堂菜圃散步，写字八十四。午食粥二盂，食梨一个、橘二个。敬抄《御神乐歌》二叶，暗记诵一、二、三叶。晚饮粥二盂，青菜咸蛋，少许梅干。晚食粥后，又食米糕饮茶，未能调和，胃不合，终夜屡打嗝儿，腹鸣。是日无大便。七时就床。

十六日，晴，四十九度。断食后期第四

日。七时半起床。晨饮红茶一杯，食藕粉、芋。午食薄粥三盂，青菜、芋大半碗，极美，有生以来不知菜等之味如是也。食橘、苹果。晚食与午同。是日午后出山门散步，诵《神乐歌》，甚愉快。入山以来，此为愉快之第一日矣。敬抄《神乐歌》七叶，暗记诵四、五下目。晚食后食烟一服。七时半就床，夜眠较迟，胃甚安，是日无大便。

十七日，晴暖，五十二度。断食后期第五日。七时起床。夜间仍不能多眠，晨饮泻油极少量。晨餐浓粥一盂、芋五个，仍不足，再食米糕三片、藕粉一盂。九时半，大便一次，极畅快。到菜圃诵《御神乐歌》。中膳，米饭一盂，粥二盂，油炸豆腐一碗。本寺例初一、十五始食豆腐。今日特因僧人某死，葬资有余，故以之购食豆腐。午前后到山门外散步二次。拟定出山后剃须。闻玉采萝卜来，食之至甘。晚膳粥三盂、豆腐青菜一盂，极美。今日抄《御神乐歌》五叶，暗记诵六下目。作书寄普慈。是日大便后愉快，晚膳后尤愉快。坐檐下久。拟定今后更名欣，字叔同。七时半就床。

十八日，阴，微雨，四十九度。断食后期最后一日。五时半起床。夜间酣眠八小时，甚畅快，入山以来未之有也。是晨早起，因欲食寺中早粥。起床后大便一次，甚畅。六时半食浓粥三盂、豆腐青菜一盂，胃甚涨。

坐菜圃小屋诵《神乐歌》，今日暗记诵七下目，敬抄《神乐歌》八枚。午，食饭二盂，豆腐青菜一盂，胃涨大，食烟一服。午后到山中散步，足力极健。采干花草数枝，松子数个。晚食浓粥二盂、青菜半盂，仅食此不敢再多，恐胃涨也。餐后胸中极感愉快。灯下写字五十四，辑订断食中字课，七时半就床。

十九日，阴，微雨，四时半起床。午后一时出山归校。嘱托闻玉事件：晚饭菜，橘子，做衣服附袖头，二十二要，轿子油布，轿夫选择，新蚊帐，夜壶。自己事件：写真，付饭钱，致普慈信。

我在西湖出家的经历

弘一法师讲述　高胜进笔记

杭州这个地方实堪称为佛地，因为寺庙之多约有两千余所，可想见杭州佛法之盛了！

最近《越风》社要出关于《西湖》的增刊，由黄居士来函，要我做一篇《西湖与佛教之因缘》。我觉得这个题目的范围太广泛了，而且又无参考书在手，于短期间内是不能做成的，所以，现在就将我从前在西湖居住时值得追味的几件事情来说一说，也算是纪念我出家的经过。

一

我第一次到杭州是光绪二十八年(1902)七月。在杭州住了约一个月光景，但是并没有到寺院里去过，只记得有一次到涌金门外去吃过一回茶，同时也就把西湖的风景稍微看了一下。

第二次到杭州是民国元年（1912）的七月。这回到杭州倒住得很久，一直住了近十年，可以说是很久的了。我的住处在钱塘门内，离西湖很近，只两里路光景。在钱塘门外，靠西湖边有一所小茶馆名景春园。我常常一个人出门,独自到景春园的楼上去吃茶。当民国初年的时候西湖的情形完全与现在两样——那时候还有城墙及很多柳树，都是很好看的。除了春秋两季的香会之外，西湖边的人总是很少，而钱塘门外更是冷静了。

在景春园楼下，有许多茶客都是那些摇船抬轿的劳动者居多，而在楼上吃茶的就只有我一个人了。所以，我常常一个人在上面吃茶，同时还凭栏看着西湖的风景。

在茶馆的附近，就是那有名的大寺院——昭庆寺了。我吃茶之后，也常常顺便到那里去看一看。

民国二年（1913）夏天，我曾在西湖的广化寺里住了好几天。但是住的地方却不在出家人的范围之内，是在该寺的旁边有一所叫做痘神祠的楼上。

痘神祠是广化寺专门为着要给那些在家

的客人住的。我住在里面的时候，有时也曾到出家人所住的地方去看看，心里却感觉很有意思呢！

记得那时我亦常常坐船到湖心亭去吃茶。

曾有一次，学校里有一位名人来演讲，我和夏丏尊居士却出门躲避，到湖心亭上去吃茶呢！当时夏丏尊对我说："像我们这种人，出家做和尚倒是很好的。"我听到这句话，就觉得很有意思。这可以说是我后来出家的一个远因了。

二

到了民国五年（1916）的夏天，因为看到日本杂志中有说及关于断食可以治疗各种疾病，当时我就起了一种好奇心，想来断食一下。因为我那时患有神经衰弱症，若实行断食，或者可以痊愈亦未可知。要行断食时，须于寒冷的季候方宜。所以，我便预定十一月来作断食的时间。

至于断食的地点须先考虑一下，似觉总要有个很幽静的地方才好。当时我就和西泠印社的叶品三君来商量，结果他说在西湖附近的虎跑寺可作为断食的地点。那么我就问他："既要到虎跑寺去，总要有人来介绍才对，究竟要请谁呢？"他说："有一位丁辅之是虎跑的大护法，可以请他去说一说。"于是他便写信请丁辅之代为介绍了。

因为从前的虎跑不像现在这样热闹，而是游客很少，且是个十分冷静的地方啊。若用来作为我断食的地点，可以说是最相宜的了。

到了十一月，我还不曾亲自到过。于是我便托人到虎跑寺那边去走一趟，看看在哪一间房里住好。回来后，他说在方丈楼下的地方，倒很幽静的。因为那边的房子很多，且平常时候都是关着，游客是不能走进去的；而在方丈楼上，则只有一位出家人住着而已，此外并没有什么人居住。

等到十一月底，我到了虎跑寺，就住在方丈楼下的那间屋子里了。我住进去以后，常看见一位出家人在我的窗前经过（即是住在楼上的那一位）。我看到他却十分的欢喜呢！因此，就时常和他谈话，同时，他也拿佛经来给我看。

我以前从五岁时即时常和出家人见面，时常看见出家人到我的家里念经及拜忏。于十二三岁时，也曾学了放焰口。可是并没有和有道德的出家人住在一起，同时，也不知道寺院中的内容是怎样，以及出家人的生活又是如何。这回到虎跑去住，看到他们那种生活，却很欢喜而且羡慕起来了。

我虽然只住了半个多月，但心里头却十分愉快，而且对于他们所吃的菜蔬，更是欢喜吃。及回到学校以后，我就请佣人依照他们那样的菜煮来吃。

这一次，我到虎跑寺去断食，可以说是我出家的近因了。

三

到了民国六年（1917）的下半年，我就发心吃素了。

在冬天的时候，即请了许多的经，如《普贤行愿品》《楞严经》《大乘起信论》等很多的佛经。自己的房里也供起佛像来，如地藏菩萨、观世音菩萨等等的像。于是亦天天烧香了。

到了这一年放年假的时候，我并没有回家去，而到虎跑寺里面去过年了。我仍旧住在方丈楼下。那个时候，则更感觉得有兴味了，于是就发心出家。同时就想拜那位住在方丈楼上的出家人作师父。他的名字是弘祥师，可是他不肯我去拜他，而介绍我拜他的师父。他的师父是在松木场护国寺里居住。于是他就请他的师父回到虎跑寺来，而我也就于民国七年（1918）正月十五日受三皈依了。

我打算于此年的暑假入山，而预先在寺里住了一年后再实行出家的。当这个时候，我就做了一件海青，及学习两堂功课。

二月初五日那天，是我母亲的忌日，于是我就先于两天前到虎跑去，诵了三天的《地藏经》，为我的母亲回向。

到了五月底，我就提前先考试。考试之后，即到虎跑寺入山了。到了寺中一日以后，即穿出家人的衣裳，而预备转年再剃度。

及至七月初，夏丏尊居士来，他看到我穿出家人的衣裳但还未出家，他就对我说：“既住在寺里面，并且穿了出家人的衣裳，而不出家，那是没有什么意思的。所以还是赶紧剃度好！”

我本来是想转年再出家的，但是承他的劝，于是就赶紧出家了。七月十三日那一天，相传是大势至菩萨的圣诞，所以就在那天落发。

落发以后仍须受戒的，于是由林同庄君介绍，到灵隐寺去受戒了。

灵隐寺是杭州规模最大的寺院，我一向是很欢喜的。我出家以后，曾到各处的大寺院看过，但是总没有像灵隐寺那么好！

八月底，我就到灵隐寺去，寺中的方丈和尚很客气，叫我住在客堂后面芸香阁的楼上。当时是由慧明法师做大师父的。有一天，我在客堂里遇到这位法师了。他看到我时就说：“既系来受戒的，为什么不进戒堂呢？虽然你在家的时候是读书人，但是读书人就能这样地随便吗？就是在家时是一个皇帝，我也是一样看待的！”那时方丈和尚仍是要我住在客堂楼上，而于戒堂里有了紧要的佛事时方去参加一两回的。

那时候，我虽然不能和慧明法师时常见面，但是看到他那样的忠厚笃实，却是令我佩服不已的！

受戒以后，我仍回到虎跑寺居住。到了十二月底，即搬到玉泉寺去住。此后即常常到别处去，没有久住在西湖了。

附文

弘一法师之出家

夏丏尊

今年（1939）旧历九月二十日，是弘一法师满六十岁诞辰，佛学书局因为我是他的老友，嘱写些文字以为纪念，我就把他出家的经过加以追叙。他是三十九岁那年夏间披剃的，到现在已整整做了二十一年的僧侣生涯。我这里所述的，也都是二十一年前的旧事。

说起来也许会叫大家不相信：弘一法师的出家，可以说和我有关，没有我，也许不至于出家。关于这层，弘一法师自己也承认。有一次，记得是他出家二三年后的事，他要到新城掩关去了，杭州知友们在银洞巷虎跑寺下院替他饯行，有白衣，有僧人。斋后，他在座间指了我向大家道："我的出家，大半由于这位夏居士的助缘，此恩永不能忘！"

我听了不禁面红耳赤，惭悚无以自容。因为（一）我当时自己尚无信仰，以为出家是不幸的事情，至少是受苦的事情，弘一法师出家以后即修种种苦行，我见了常不忍；（二）他因我之助缘而出家修行去了，我却竖不起肩膀，仍浮沉在醉生梦死的凡俗之中，所以深深地感到对于他的责任，很是难过。

我和弘一法师相识，是在杭州浙江两级师范学校任教的时候。这个学校有一个特别的地方，不轻易更换教职员。我前后担任了十三年，他担任了七年。在这七年中我们晨夕一堂，相处得很好。他比我长六岁，当时我们已是三十左右的人了，少年名士气息忏除将尽，想在教育上做些实际功夫。我担任舍监职务，兼教修身课，时时感觉对于学生感化力不足。他教的是图画音乐二科，这两种科目，在他未来以前，是学生所忽视的。自他任教以后，就忽然被重视起来，几乎把全校学生的注意力都牵引过去了。课余但闻琴声歌声，假日常见学生出外写生。这原因一半当然是他对于这二科实力充足，一半也由于他的感化力大。只要提起他的名字，全校师生以及工役没有人不起敬的。

他的力量，全由诚敬中发出，我只好佩服他，不能学他。举一个实例来说，有一次寄宿舍里学生失少了财物了，大家猜测是某一个学生偷的，检查起来，却没有得到证据。我身为舍监，深觉惭愧苦闷，向他求教。他所指教我的方法，说也怕人，教我自杀，说："你肯自杀吗？你若出一张布告，说作贼者速来自首，如三日内无自首者，足见舍监诚信未孚，誓一死以殉教育。果能这样，一定可以感动人，一定会有人来自首——这话须说得诚实，三日后如没有人自首，真非自杀不可，否则便无效力。"

这话在一般人看来是过分之辞，他说来的时候，却是真心的流露，并无虚伪之意，我自愧不能照行，向他笑谢，他当然也不责备我。

我们那时颇有些道学气，俨然以教育者自任，一方面又痛感到自己力量不够。可是所想努力的，还是儒家式的修养，至于宗教方面简直毫不关心的。

有一次，我从一本日本的杂志上见到一篇关于断食的文章，说断食是身心“更新”的修养方法，自古宗教上的伟人，如释迦，如耶稣，都曾断过食。断食能使人除旧换新，改去恶德，生出伟大的精神力量；并且还列举实行的方法及应注意的事项，又介绍了一本专讲断食的参考书。我对于这篇文章很有兴味，便和他谈及，他就好奇地向我要了杂志去看。以后我们也常谈到这事，彼此都有“有机会时最好断食来试试”的话，可是并没有作过具体的决定。至少在我自己是说过就算了。约莫经过了一年，他竟独自去实行断食了，这是他出家前一年阳历年假的事。

他有家眷在上海，平日每月回上海二次，年假暑假当然都回上海的。阳历年假只十天，放假以后我也就回家去了，总以为他仍照例回到上海了的。假满返校，不见到他，过了两星期他才回来。据说假期中没有回上海，在虎跑寺断食。我问他："为什么不告诉我？"他笑说："你是能说不能行的，并且这事预先叫别人知道也不好，旁人大惊小怪起来，容易发生波折。"他的断食共三星期：第一星期逐渐减食至尽，第二星期除水以外完全不食，第三星期起，由粥汤逐渐增加至常量。据说经过很顺利，不但并无痛苦，而且身心反觉轻快，有飘飘欲仙之象。他平日是每日早晨写字的，在断食期间，仍以写字为常课，三星期所写的字，有魏碑，有篆文，有隶书，笔力比平日并不减弱。他说断食时，心比平时灵敏，颇有文思，恐出毛病，终于不敢作文。他断食以后，食量大增，且能吃整块的肉。（平日虽不茹素，不多食肥腻肉类。）自己觉得脱胎换骨过了，用老子“能婴儿乎”之意，改名李婴，依然教课，依然替人写字，并没有什么和前不同的情形。据我知道，这时他只看些宋元人的理学书和道家的书类，佛学尚未谈到。

转瞬阴历年假到了，大家又离校。哪知他不回上海，又到虎跑寺去了。因为他在那里经过三星期，喜其地方清净，所以又到那里去过年。他的皈依三宝，可以说是由这时候开始的。据说，他自虎跑寺断食回来，曾去访过马一浮先生，说虎跑寺如何清静，僧人招待如何殷勤。阴历新年，马先生有一个朋友彭先生，求马先生介绍一个幽静的寓处，马先生忆起弘一法师前几天曾提起虎跑寺，就把这位彭先生陪送到虎跑寺去住。恰好弘一法师正在那里，经马先生之介绍，就认识了这位彭先生。同住了不多几天，到了正月初八日，彭先生忽然发心出家了，由虎跑寺当家为他剃度。弘一法师目击当时的一切，大大感动。可是还不就想出家，仅皈依三宝，拜老和尚了悟法师为皈依师。演音的名，弘一的号，就是那时取定的。假期满后，仍回到学校里来。

从此以后，他茹素了，有念珠了，看佛经，室中供佛像了。宋元理学书偶然仍看，道家书似已疏远。他对我说明一切经过及未来志愿，说出家有种种难处，以后打算暂以居士资格修行，在虎跑寺寄住，暑假后不再担任教师职务。我当时非常难堪，平素所敬爱的这样的好友，将弃我遁入空门去了，不胜寂寞之感。在这七年之中，他想离开杭州一师，有三四次之多。有时是因对于学校当局有不快，有时是因为别处有人来请他。他几次要走，都是经我苦劝而作罢的。甚至于有一个时期，南京高师苦苦求他任课，他已接受聘书了，因我恳留他，他不忍拂我之意，于是杭州南京两处跑，一个月中要坐夜车奔波好几次。他的爱我，可谓已超出寻常友谊之外。

眼看这样的好友，因信仰而变化，要离我而去，而信仰上的事，不比寻常名利关系，可以迁就。料想这次恐已无法留得住他，深悔从前不该留他——他若早离开杭州，也许不会遇到这样复杂的因缘的。

暑假渐近，我的苦闷也愈加甚，他虽常用佛法好言安慰我，我总熬不住苦闷。有一次，我对他说过这样的一番狂言："这样做居士究竟不彻底。索性做了和尚，倒爽快！"我这话原是愤激之谈，因为心里难过得熬不住了，不觉脱口而出，说出以后，自己也就后悔。他却仍是笑颜对我，毫不介意。

暑假到了，他把一切书籍字画衣服等

等，分赠朋友学生及校工们，我所得的是他历年所写的字，他所有的折扇及金表等，自己带到虎跑寺去的，只是些布衣及几件日常用品。我送他出校门，他不许再送了，约期后会，黯然而别。暑假后，我就想去看他，忽然我父亲病了，到半个月以后才到虎跑寺去。相见时我吃了一惊，他已剃去短须，头皮光光，着起海青，赫然是个和尚了，笑说：“昨天受剃度的。日子很好，恰巧是大势至菩萨生日。”

“不是说暂时做居士，在这里住住修行，不出家的吗？”我问。

“这也是你的意思，你说索性做了和尚……”

我无话可说，心中真是感慨万分。他问过我父亲的病况，留我小坐，说要写一幅字，叫我带回去作他出家的纪念。回进房去写字，半小时后才出来，写的是《楞严大势至念佛圆通章》，且加跋语，详记当时因缘，末有“愿他年同生安养共圆种智”的话。临别时我和他约，尽力护法，吃素一年；他含笑点头，念一句“阿弥陀佛”。

自从他出家以后，我已不敢再毁谤佛法；可是对于佛法见闻不多，对于他的出家，最初总由俗人的见地，感到一种责任——以为如果我不苦留他在杭州，如果不提出断食的话头，也许不会有虎跑寺马先生彭先生等因缘，他不会出家；如果最后我不因惜别而发狂言，他即使要出家，也许不会那么快速。我一向为这责任之感所苦，尤其在见到他作苦修行或听到他有疾病的时候。近几年以来，我因他的督励，也常亲近佛典，略识因缘之不可思议，知道像他那样的人，是于过去无量数劫种了善根的。他的出家，他的弘法度生，都是夙愿使然，而且都是希有的福德，正应代他欢喜，代众生欢喜，觉得以前的对他不安，对他负责任，不但是自寻烦恼，而且是一种僭妄了。

余出家之宿田

年七八岁，即有无常、苦、空之感，乳母每教诫之，以为非童年所宜。

母殁，益觉四大非我，身为苦本。

其后出家虎跑，全仗宿因，时若非即披剃不可，亦不知其所然也。一切无他顾虑，惟以妻子不许为忧，竟亦一叹置之，安然离俗。

辛丑北征泪墨

游子无家，朔南驰逐。值兹离乱，多感哀。城郭人民，慨怆今昔。耳目所接，辄志简编。零句断章，积焉成帙。重加厘削，定为一卷。不书时日，酬应杂务。百无二三，颜曰《北征泪墨》，以示不从日记例也。

辛丑初夏　惜霜识于海上李庐

光绪二十七年（1901）春正月，拟赴豫省仲兄。将启行矣，填《南浦月》一阕海上留别词云：

杨柳无情，丝丝化作愁千缕。

惺忪如许，萦起心头绪。

谁道销魂，尽是无凭据。

离亭外，一帆风雨，只有人归去。

越数日启行，风平浪静，欣慰殊甚。落日照海，白浪翻银，精彩炫目。群鸟翻翼，回翔水面。附海诸岛，若隐若现。是夜梦至家，见老母室人作对泣状，似不胜离别之感者。余亦潸然涕下。比醒时，泪痕已湿枕矣。

途经大沽口，沿岸残垒败灶，不堪极目。《夜泊塘沽》诗云：

杜宇声声归去好，天涯何处无芳草。

春来春去奈愁何？流光一霎催人老。

新鬼故鬼鸣喧哗，野火磷磷树影遮。

月似解人离别苦，清光减作一钩料。

晨起登岸，行李冗赘。至则第一次火车已开往矣。欲寻客邸暂驻行踪，而兵燹之后，旧时旅馆率皆颓坏。有新筑草舍三间，无门窗床几，人皆席地坐，杯茶盂馔，都叹缺如。强忍饥渴，兀坐长喟。至日暮，始乘火车赴天津。路途所经，庐舍大半烧毁。抵津城，而城墙已拆去，十无二三矣。侨寄城东姚氏庐，逢旧日诸友人，晋接之余，忽忽然如隔世。唐句云“乍见翻疑梦，相悲各问年”其此境乎！到津次夜，大风怒吼，金铁皆鸣，愁不成寐，诗云：

世界鱼龙混，天心何不平！

岂因时事感，偏作怒号声。

烛尽难寻梦，春寒况五更。

马嘶残月坠，笳鼓万军营。

居津数日，拟赴豫中。闻土寇蜂起，虎踞海隅，屡伤洋兵，行人惴惴。余自是无赴豫之志矣。小住二旬，仍归棹海上。

天津北城旧地，拆毁甫毕。尘积数寸，风沙漫天，而旷阔逾恒，行道者便之。

晤日本上冈君，名岩太，字白电，别号九十九洋生，赤十字社中人，今在病院。笔谈竟夕，极为契合，蒙勉以“尽忠报国”等语，感愧殊甚。因成七绝一章，以当诗云：

杜宇啼残故国愁，虚名遑敢望千秋。

男儿若论收场好，不是将军也断头。

越日，又偕赵幼梅师、大野舍吉君、王君耀忱及上冈君，合拍一照于育婴堂，盖赵师近日执事于其间也。

居津时，日过育婴堂，访赵幼梅师，谈日本人求赵师书者甚多，见予略解分布，亦争以缣素嘱写。颇有应接不暇之势。追忆其姓名，可记者，曰神鹤吉、曰大野舍吉、曰大桥富藏、曰井上信夫、曰上冈岩太、曰塚崎饭五郎、曰稻垣几松。就中大桥君有书名，予乞得数幅。又丐赵师转求千郁治书一联，以千叶君尤负盛名也。海外墨缘，于斯为盛。

北方当仲春天气，犹凝阴积寒。抚事感时，增人烦恼。旅馆无俚。读李后主《浪淘沙》词“帘外雨潺潺，春意阑珊。罗衾不耐五更寒”句，为之怅然久之。既而，风雪交加，严寒砭骨，身着重裘，犹起栗也。《津门清明》诗云：

一杯浊酒过清明，觞断樽前百感生。

辜负江南好风景，杏花时节在边城。

世人每好作感时诗文，余雅不喜此事。曾有诗以示津中同人。诗云：

千秋功罪公评在，我本红羊劫外身。

自分聪明原有限，羞从事后论旁人。

北地多狂风，今岁益甚。某日夕，有黄云自西北来，忽焉狂风怒号，飞沙迷目。彼苍苍者其亦有所感乎！

二月杪，整装南下，第一夜宿塘沽旅馆。

长夜漫漫，孤灯如豆，填《西江月》一阕词云：

残漏惊人梦里，孤灯对景成双。
前尘渺渺几思量，只道人归是谎。
谁说春宵苦短，算来竟比年长。
海风吹起夜潮狂，怎把新愁吹涨。

越日，日夕登轮。诗云：

感慨沧桑变，天边极目时。
晚帆轻似箭，落日大如箕。
风卷旌旗走，野平车马驰。
河山悲故国，不禁泪双垂。

开轮后，入夜管弦嘈杂，突惊幽梦。倚枕静听，音节斐靡，飒飒动人。昔人诗云“我已三更鸳梦醒，犹闻帘外有笙歌”，不图于今日得之。

舟泊烟台，山势环拱，帆樯云集，海水莹然，作深碧色。往来渔舟，清可见底。登高眺远，幽怀顿开。诗云：

澄澄一水碧琉璃，长鸣海鸟如儿啼。

晨日掩山白无色，□□□□青天低。

午后，偕友登烟台岸小憩，归来已日暮。□□□开轮。午餐后，同人又各奏乐器，笙琴笛管，无美不□。迭奏未已，继以清歌。愁人当此，虽可差解寂寥。然河满一声，奈何空唤；适足增我回肠荡气耳。枕上口占一绝云：

子夜新声碧玉环，可怜肠断念家山。

劝君莫把愁颜破，西望长安人未还。

白马湖放生记

白马湖在越东驿亭乡，旧名渔浦。放生之事，前未闻也。己巳秋晚，徐居士仲荪过谈，欲买鱼介放生马湖，余为赞喜，并同刘居士质平助之。放生既讫，质平记其梗概，余书写二纸，一赠仲荪，一与质平，以示来览焉。

时分：十八年（1929年）九月廿三日五更，自驿亭步行十数里到鱼市，东方未明。

舍资者：徐仲荪

佐助者：刘质平

荷者：徐全茂

以上三人偕往。

鱼市：在百官镇。品类：虾鱼等。值资八元七毫八分。

放生所：白马湖。

盛鱼具：向百官面肆假用，肆主始不许，因告为放生故彼欣然。

放生同行者：释弘一、夏丏尊、徐仲荪、刘质平、徐全茂及夏家老仆丁锦标，同乘一舟，别一舟载鱼虾等。

放生时：晨九时一刻。

随喜者：放生之时，岸上簇立而观者甚众，皆大欢喜，叹未曾有。

是岁嘉平无缚书，时居晋江南补补陀禅林，读诵《华严经清凉疏钞》。

行脚散记

癸酉十一月十一日，居草庵。

十五日讫二十日，讲《梵网经戒本》。

十二月一日讫三日，讲《药师经》，回向故瑞意法师（二月二日复念佛回向）。

除夕夜，讲蕅益大师“普说”二则。

甲戌元旦讫十四日，讲《四分律羯磨》初、二篇。

十九日二十日讲《羯磨》。

二十一日为蕅益大师涅槃日，设供并讲大师遗作《祭颛愚大师文》《德林座右铭》二首。

二十二日夜与大众行蒙山施食，回向鬼众及草庵已故诸蜜蜂等。

二月三日之厦门南普陀寺，开讲《四分律行事钞资持记》。为书弘律愿誓句，并记二月余行事，赠芳远居士，以为遗念焉。

沙门演音 时年五十又五

惠安弘法日记

乙亥四月，传贯学弟请余入惠安弘法。始居净山半载，又须奔走乡村。虽未能大宏佛化，而亦随分随力，小有成就。适将掩室日光岩，词源居士以素帖属书。词源惠人，因择录《旅惠日记》付之，聊以为纪念耳。

岁次玄枵 月旅姑洗 南山律苑沙门一音

后二十四年乙亥四月十一日夕，自泉州南门外，乘古帆船航海。

十二日晨，到崇武，改乘小舟，风逆浪大，午前十时抵净峰寺。

十六日，往崇武，居普莲堂。

十七日、十八日、十九日，讲三皈五戒、观音菩萨灵感及净土法门等。

十九日下午，返净山。

二十一日为亡母冥诞，开讲《华严经·普贤行愿品》，五月一日讲竟。

初三日为灵峰蕅益大师圣诞，午后讲大师事迹。

六月七日，始讲《四分律戒本疏行宗记》。

二十一日，第二册讲竟。

七月三十日，为地藏菩萨圣诞，午后讲《九华山示迹大意》。

八月五日为亡父讳日，开讲《普贤行愿品偈颂》。

七日讲竟。

听者甚众，大半为耶教徒也。

二十三日，性愿老法师到净峰。

二十五日请讲《佛法大要》。

二十七日，请师往崇武晴霞寺，代余讲《法华经·普门品》。

二十九日讲讫。每日听众百人左右。

十月将去净峰，留题云："乙亥四月，余居净峰，植菊盈畦。秋晚将归去，犹复含蕊未吐。口占一绝，聊以志别：我到为植种，我行花未开。岂无佳色在？留待后人来。”

二十二日，去净峰，到惠安城，遇诸居士留宿。

二十三日上午，到科峰寺讲演，并为五人证受皈依。下午到泉州。

十一月十九日，复到惠安城，寓黄善人宅。

二十日，到科峰寺讲演，并为十人证受皈依。

二十一日上午，为一人证受皈依。下午乘马，行二十里，到许山头东堡，寓许连木童子宅。

二十二日，在瑞集岩讲演。

二十三日二十四日，在许童子宅讲演，

并为二十人证受皈依及五戒。

二十五日上午，到后尾，寓刘清辉居士菜堂。下午讲演。

二十六日上午，到胡乡，寓胡碧莲居士菜堂，下午开讲《阿弥陀经》。

二十八日讲经竟，为十七人证受皈依及五戒。

二十九日上午，到谢贝，寓黄成德居士菜堂，三十日讲演。

十二月初一日上午，到惠安城，寓李氏别墅，今为某小学校。

初二日，到如是堂讲演，听众近百人。

1936年季春书赠曹词源居士

南闽十年之梦影

丁丑二月十六日在南普陀寺佛教养正院讲

我一到南普陀寺，就想来养正院和诸位法师讲谈讲谈，原定的题目是“余之忏悔”，说来话长，非十几小时不能讲完；近来因为讲律，须得把讲稿写好，总抽不出一个时间来，心里又怕负了自己的初愿，只好抽出很短的时间，来和诸位谈谈，谈我在南闽十年中的几件事情！

我第一回到南闽，在一九二八年的十一月，是从上海来的。起初还是在温州，我在温州住得很久，差不多有十年光景。

由温州到上海，是为着编辑《护生画集》的事，和朋友商量一切；到十一月底，才把《护生画集》编好。

那时我听人说尤惜阴居士也在上海。他是我旧时很要好的朋友，我就想去看一看他。一天下午，我去看尤居士，居士说要到暹罗国去，第二天一早就要动身的。我听了觉得很喜欢，于是也想和他一道去。

我就在十几小时中，急急地预备着。第二天早晨，天还没大亮，就赶到轮船码头，和尤居士一起动身到暹罗国去了。从上海到暹罗，是要经过厦门的，料不到这就成了我来厦门的因缘。十二月初，到了厦门，承陈敬贤居士的招待，也在他们的楼上吃过午饭，后来陈居士就介绍我到南普陀寺来。那时的南普陀，和现在不同，马路还没有建筑，我是坐着轿子到寺里来的。

到了南普陀寺，就在方丈楼上住了几天。时常来谈天的，有性愿老法师、芝峰法师等。芝峰法师和我同在温州，虽不曾见过面，却是很相契的。现在突然在南普陀寺晤见了，真是说不出的高兴。

我本来是要到暹罗去的，因着诸位法师的挽留，就留滞在厦门，不想到暹罗国去了。

在厦门住了几天，又到小云峰那边去过年。一直到正月半以后才回到厦门，住在闽南佛学院的小楼上，约莫住了三个月工夫。看到院里面的学僧虽然只有二十几位，他们的态度都很文雅，而且很有礼貌，和教职员的感情也很不差，我当时很赞美他们。

这时芝峰法师就谈起佛学院里的课程来。他说：“门类分得很多，时间的分配却很少，这样下去，怕没有什么成绩吧？”

因此，我表示了一点意见，大约是说：“把英文和算术等删掉，佛学却不可减少，而且还得增加，就把腾出来的时间教佛学吧！”

他们都很赞成。听说从此以后，学生们的成绩，确比以前好得多了！

我在佛学院的小楼上，一直住到四月间，

怕将来的天气更会热起来，于是又回到温州去。

第二回到南闽，是在一九二九年十月。起初在南普陀寺住了几天，以后因为寺里要做水陆，又搬到太平岩去住。等到水陆圆满，又回到寺里，在前面的老功德楼住着。

当时闽南佛学院的学生，忽然增加了两倍多，约有六十多位，管理方面不免感到困难。虽然竭力的整顿，终不能恢复以前的样子。不久，我又到小雪峰去过年，正月半才到承天寺来。

那时性愿老法师也在承天寺，在起草章程，说是想办什么研究社。

不久，研究社成立了，景象很好，真所

谓“人才济济”，很有一种难以形容的盛况。现在妙释寺的善契师，南山寺的传证师，以及已故南普陀寺的广究师，……都是那时候的学僧哩！

研究社初办的几个月间，常住的经忏很少，每天有工夫上课，所以成绩卓著，为别处所少有。当时我也在那边教了两回写字的方法，遇有闲空，又拿寺里那些古版的藏经来整理整理，后来还编成目录，至今留在那边。这样在寺里约莫住了三个月，到四月，怕天气要热起来，又回到温州去。

一九三一年九月，广洽法师写信来，说很盼望我到厦门去。当时我就从温州动身到上海，预备再到厦门；但许多朋友都说时局不大安定，远行颇不相宜，于是我只好仍回温州。直到转年即一九三二年十月，到了厦门，计算起来，已是第三回了！

到厦门之后，由性愿老法师介绍，到山边岩去住；但其间妙释寺也去住了几天。那时我虽然没有到南普陀来住，但佛学院的学僧和教职员，却是常常来妙释寺谈天的。

一九三三年正月廿一日，我开始在妙释寺讲律。

这年五月，又移到开元寺去。

当时许多学律的僧众，都能勇猛精进，一天到晚的用功，从没有空过的工夫；就是秩序方面也很好，大家都啧啧地称赞着。

有一天，已是黄昏时候了，我在学僧们宿舍前面的大树下立着，各房灯火发出很亮的光；诵经之声，又复朗朗入耳，一时心中觉得有无限的欢慰！可是这种良好的景象，不能长久地继续下去，恍如昙花一现，不久就消失了。但是当时的景象，却很深的印在我的脑中，现在回想起来，还如在大树底下目睹一般。这是永远不会消灭，永远不会忘记的啊！

十一月，我搬到草庵来过年。

一九三四年二月，又回到南普陀。

当时旧友大半散了；佛学院中的教职员和学僧，也没有一位认识的！

我这一回到南普陀寺来，是准了常惺法师的约，来整顿僧教育的。后来我观察情形，觉得因缘还没有成熟，要想整顿，一时也无从着手，所以就作罢了。此后并没有到闽南佛学院去。

讲到这里，我顺便将我个人对于僧教育的意见，说明一下——

我平时对于佛教是不愿意去分别哪一宗哪一派的，因为我觉得各宗各派，都各有各的长处。

但是有一点，我以为无论哪一宗哪一派的学僧，却非深信不可，那就是佛教的基本原则，就是深信善恶因果报应的道理。善有善报，恶有恶报；同时还须深信佛菩萨的灵感！这不仅初级的学僧应该这样，就是升到佛教大学也要这样！

善恶因果报应和佛菩萨的灵感道理，虽然很容易懂；可是能彻底相信的却不多。这所谓信，不是口头说说的信，是要内心切切实实去信的呀！

咳！这很容易明白的道理，若要切切实实地去信，却不容易啊！

我以为无论如何，必须深信善恶因果报应和诸佛菩萨灵感的道理，才有做佛教徒的资格！

须知善有善报，恶有恶报，这种因果报应，

是丝毫不爽的！又须知我们一个人所有的行为，一举一动，以至起心动念，诸佛菩萨都看得清清楚楚！

一个人若能这样十分决定地信着，他的品行道德，自然会一天比一天地高起来！

要晓得我们出家人，就所谓“僧宝”，在俗家人之上，地位是很高的。所以品行道德，也要在俗家人之上才行！

倘品行道德仅能和俗家人相等，那已经难为情了！何况不如？又何况十分的不如呢？……咳！……这样他们看出家人就要十分的轻慢，十分的鄙视，种种讥笑的话，也接连地来了。……

记得我将要出家的时候，有一位在北京

的老朋友写信来劝告我，你知道他劝告的是什么，他说："听到你要不做人，要做僧去……"

咳！……我们听到了这话，该是怎样的痛心啊！他以为做僧的，都不是人，简直把僧不当人看了！你想，这句话多么厉害呀！

出家人何以不是人？为什么被人轻慢到这地步？我们都得自己反省一下！我想这原因都由于我们出家人做人太随便的缘故；种种太随便了，就闹出这样的话柄来了。

至于为什么会随便呢？那就是由于不能深信善恶因果报应和诸佛菩萨灵感的道理的缘故。倘若我们能够真正生信，十分决定地信，我想就是把你的脑袋斫掉，也不肯随便的了！

以上所说，并不是单单养正院的学僧应该牢记，就是佛教大学的学僧也应该牢记，相信善恶因果报应和诸佛菩萨灵感不爽的道理！

就我个人而论已经是将近六十的人了，出家已有二十年，但我依旧喜欢看这类的书！——记载善恶因果报应和佛菩萨灵感的书。

我近来省察自己，觉得自己越弄越不像了！所以我要常常研究这一类的书——希望我的品行道德，一天高尚一天；希望能够改过迁善，做一个好人；又因为我想做一个好人，同时我也希望诸位都做好人！

这一段话，虽然是我勉励我自己的，但我很希望诸位也能照样去实行！

关于善恶因果报应和佛菩萨灵感的书，印光老法师在苏州所办的弘化社那边印得很多，定价也很低廉，诸位若要看的话，可托广洽法师写信去购请，或者他们会赠送也未可知。

以上是我个人对于僧教育的一点意见。下面我再来说几样事情——

我于一九三五年到惠安净峰寺去住，到十一月，忽然生了一场大病，所以我就搬到草庵来养病。这一回的大病，可以说是我一生的大纪念！

我于一九三六年的正月，扶病到南普陀寺来。在病床上有一只钟，比其他的钟总要慢两刻，别人看到了，总是说这个钟不准，我说：“这是草庵钟。”

别人听了“草庵钟”三字还是不懂，难道天下的钟也有许多不同的么？现在就让我详详细细的来说个明白——

我那一回大病，在草庵住了一个多月。摆在病床上的钟，是以草庵的钟为标准的。而草庵的钟，总比一般的钟要慢半点。

我以后虽然移到南普陀，但我的钟还是那个样子，比平常的钟慢两刻，所以“草庵钟”就成了一个名词了。这件事由别人看来，也许以为是很好笑的吧！但我觉得很有意思！因为我看到这个钟，就想到我在草庵生大病的情形了，往往使我发大惭愧，惭愧我德薄业重。

我要自己时时发大惭愧，我总是故意地把钟改慢两刻，照草庵那钟的样子，不止当时如此，到现在还是如此，而且愿尽形寿，常常如此。

以后在南普陀住了几个月，于五月间，才到鼓浪屿日光岩去。十二月仍回南普陀。

到今年一九三七年，我在闽南居住，算起来，首尾已是十年了。

回想我在这十年之中，在闽南所做的事情，成功的却是很少很少，残缺破碎的居其大半，所以我常常自己反省，觉得自己的德行，实在十分欠缺！

因此近来我自己起了一个名字，叫“二一老人”。什么叫“二一老人”呢？这有我自己的根据。

记得古人有句诗：“一事无成人渐老。”

清初吴梅村（伟业）临终的绝命词有：“一钱不值何消说。”

这两句诗的开头都是“一”字，所以我用来做自己的名字，叫做“二一老人”。

因此我十年来在闽南所做的事，虽然不完满，而我也不怎样地去求他完满了！

诸位要晓得我的性情是很特别的，我只希望我的事情失败，因为事情失败不完满，这才使我常常发大惭愧！能够晓得自己的德行欠缺，自己的修善不足，那我才可努力用功，努力改过迁善！

一个人如果事情做完满了，那么这个人就会心满意足，洋洋得意，反而增长他贡高我慢的念头，生出种种的过失来！所以还是不去希望完满的好！

不论什么事，总希望他失败，失败才会发大惭愧！倘若因成功而得意，那就不得了啦！

我近来，每每想到“二一老人”这个名字，觉得很有意味！

这“二一老人”的名字，也可以算是我在闽南居住了十年的一个最好的纪念！

泉州弘法记

戊寅旧历正月元旦始至初十日止，在草庵讲《华严·普贤行愿品》。

二十日，到泉州住承天寺月台别院。

二十六日，在大开元寺讲《念佛能免灾难》。

二月初一日始至初十日止，在承天寺讲《华严·普贤行愿品》。

十二日，在开元慈儿院讲释迦牟尼佛在因地中为法舍身事。

十三日，在妇人养老院讲净土法门。

十四日，在温陵男养老院讲《劳动与念佛》。

十六日，在崇福寺讲《三归五戒浅义》。复在救济院，劝念观世音菩萨名号，为院众近百人授三归依。

十七日始至二十日止，在大开元寺讲《心经大意》。

二十三日，在朵莲寺讲《药师如来本愿功德经大意》。

二十六日，在昭昧国学专校讲《佛教之源流及宗派》。复有他校二处请讲演，未能往。

三月初一日始至初三日止，在清尘堂讲《华严大意》。

初五日，往惠安。

初八日，值念佛会，为讲修净土宗者应注意之数事。

初九日，讲《十宗略义》。

初十日，讲《华严五教大意》。学校请演讲，未往。

十一日，归泉州。

二十一日，往厦门，应鼓浪屿了闲社法会请，演讲三日。复往漳州弘法。

十月下旬，在清尘堂讲《药师如来法门》一次。此讲稿已印行两次。

十一月初旬，在承天寺讲《金刚经大意》一次。法院曾院长请讲。

十一月下旬，在承天寺讲《最后之□□》一次。已印行为养正院学僧讲。

十二月一日始至正月廿四日，闭关谢客。

己卯正月元旦始，在月台别院，即关房内，讲《药师经》共十日。

因阅省府令，将使僧众服兵役事。于正月廿五日在寺演讲一次，安慰僧众，倘此事实行时，愿为力争，并绝食以要求，令大众毋惧。虽往永春，亦仍负责。

二月五日始，在月台别院讲《裴相发菩提心文》共三日。

二月十日始，在承天寺讲《药师经》共七日。

二月十九日，在朵莲寺讲《读诵华严经之灵感事迹》一次。

二月二十日，在光明寺即世斋堂讲《持

诵药师咒之方法》一次。不久可以印行。

二月二十一日，在同莲寺讲《净土法门之殊胜》一次。

二月二十二日，在温陵养老院讲《地藏菩萨之灵感事迹》。

1934 年 3 月作于厦门南普陀寺

超度小黄犬日记

七月初八日，风定，晴。午后小黄犬病不起，请弘祥、弘济及高僧共七人与余，为小黄犬念佛。弘祥师先说开示，念《香赞》《弥陀经》《往生咒》，绕念佛名后，立念。小黄犬（犹）不去。由弘祥师再开示，大众念佛名。小黄犬放溺，呼吸短促而腹不动，为焚化。了悟老和尚、弘祥兄及余所书经佛像……小黄犬深呼吸一次乃去。察其行色，似无所苦，观者感叹，时为申初刻。旋与弘祥、弘济及三高僧送葬青龙山麓。

庆福寺闭关为约三章

余初始出家，未有所解，急宜息诸缚务。先办己躬下事。为约三章，敬告同人——

一、凡有友新识来访者暂缓接见

二、凡以写字作文等事相属者暂缓动笔

三、凡以介绍请托及诸事相属者暂缓应承

惟冀同人共相体察。

失礼之罪，希鉴亮焉！

释弘一谨白

乙亥草庵遗嘱

余终前，请在帐外，助念佛号，但亦不必常常念。命终后，勿动身体，锁门历八小时。八小时后，万不可擦身体及洗面，即以随身所住之衣，外裹破夹被，卷好，送往楼后之山凹中。历三日，有虎食，则善。否则三日后，即就地焚化。焚化后再通知他位，万不可早通知。余之命终前后，诸事极为简单，必须依行。否则是逆子也。

演音启

苦乐对览表

宋慈云忏主说二土修行难易十种，今以苦乐对之，列表如下——

娑婆世界	极乐世界
一、有不常值佛苦	一、受花开见佛常得亲近之乐
二、有不闻说法苦	二、受水鸟树林皆宣妙法之乐
三、有恶友牵缠苦	三、受诸上善人俱会一处之乐
四、有群魔恼乱苦	四、受诸佛护念远离魔事之乐
五、有轮回不患苦	五、受横截生死永脱轮回之乐
六、有难免三涂苦	六、受远离恶道名且不闻之乐
七、有尘缘障道苦	七、受受用自在不俱经营之乐
八、有寿命短促苦	八、受与佛同寿更无限量之乐
九、有修行退失苦	九、受入正定聚永无退转之乐
十、有佛道难成苦	十、受一生行满所作成办之乐

《阿弥陀经》云:“无有众苦,但受诸乐。”众苦者，谓三苦、八苦、无量诸苦。三苦统论三界，八苦唯约人间。今以八苦与极乐世界之乐对之，列表如下——

娑婆世界	极乐世界
一、生苦，居于胎狱之中	一、受莲花化生之乐
二、老苦，现其衰朽之相	二、受相好俱足之乐
三、病苦，诸根痛患	三、受安宁自在之乐
四、死苦，四大分散	四、受寿命无量之乐
五、爱别离苦，欲合偏离	五、受海会相聚之乐
六、冤憎会苦，欲避偏逢	六、受上善俱会之乐
七、求不得苦，欲得偏失	七、受所欲如意之乐
八、五蕴炽盛苦，烦恼之火昼夜炽燃	八、受观照蕴空之乐

华民二十七年岁次戊寅闰七月十三日，余剃染出家二十周年。是日诸善友集聚尊元经楼，为余诵经忏罪。余于是日始讲《阿弥陀经》一卷，回向众生，同证菩提，并书《苦乐对览表》二纸，呈奉经楼，以为纪念焉。

沙门一音

饲鼠免鼠患之经验谈

普贤谓以饲猫之饭饲鼠，则可无鼠患。常人闻者罕能注意，而不知其言确实有据也。余近独居桃源山中甚久，山鼠扰害，昼夜不宁。毁坏衣服更无论矣。甚至啮佛像手足，并于像上落粪。因阅旧籍，载饲鼠之法，姑试为之，鼠遂渐能循驯，不复毁坏衣物，亦不随处落粪。自是以后，即得彼此相安。现有鼠六七头，所饲之饭不多，备供一猫之食量，彼六七鼠即可满足矣。或谓鼠类生殖太繁，未来可虑。今就余年余之经验，虽见屡产小鼠甚多，然大半伤亡，存者无几，不足虑也。余每日饲鼠两次，饲时，并为发愿回向，冀彼等早得人生，乃至速证菩提云云。

甲戌初夏大病
有欲延医者说偈谢之

阿弥陀佛，无上医王。

舍此不求，是谓痴狂。

一句弥陀，阿伽陀药。

舍此不服，是谓大错。

虞愚居士问书法妙义为说二偈

文字之相，本不可得。

以分别心，云何测度。

若风画空，无有能所。

如是了知，斯为智者。

辞世二偈

君子之交，其淡如水。
执象而求，咫尺千里。
问余何适，廓尔亡言。
华枝春满，天心月圆。

演讲选集

改过实验谈

癸酉正月厦门妙释寺讲

值旧历新年，请观厦门全市之中，新气象充满，门户贴新春联，人多着新衣，口言恭贺新喜新年大吉等。我等素信佛法之人，当此万象更新时，亦应一新乃可。我等所谓新者何，亦如常人贴新春联着新衣等以为新乎？曰：不然。我等所谓新者，乃是改过自新也。但“改过自新”四字范围太广，若欲演讲，不知从何说起。今且就余五十年来修省改过所实验者，略举数端为诸君言之。

余于讲说之前，有须预陈者，即是以下所引诸书，虽多出于儒书，而实合于佛法。因谈玄说妙修证次第，自以佛书最为详尽。而我等初学之人，持躬敦品、处事接物等法，虽佛书中亦有说者，但儒书所说，尤为明白详尽适于初学。故今多引之，以为吾等学佛法者之一助焉。以下分为总论别示二门。

总论者即是说明改过之次第：

①学 须先多读佛书儒书，详知善恶之区别及改过迁善之法。倘因佛儒诸书浩如烟海，无力遍读，而亦难于了解者，可以先读《格言联璧》一部。余自儿时，即读此书。归信

佛法以后，亦常常翻阅，甚觉其亲切而有味也。此书佛学书局有排印本甚精。

②省　既已学矣，即须常常自己省察，所有一言一动，为善欤，为恶欤，若为恶者，即当痛改。除时时注意改过之外，又于每日临睡时，再将一日所行之事，详细思之。能每日写录日记，尤善。

③改　省察以后，若知是过，即力改之。诸君应知改过之事，乃是十分光明磊落，足以表示伟大之人格。故子贡云："君子之过也，如日月之食焉；过也人皆见之，更也人皆仰之。"又古人云："过而能知，可以谓明。知而能改，可以即圣。"诸君可不勉乎！

别示者，即是分别说明余五十年来改过迁善之事。但其事甚多，不可胜举。今且举十条为常人所不甚注意者，先与诸君言之。华严经中皆用十之数目，乃是用十以表示无尽之意。今余说改过之事，仅举十条，亦尔；正以示余之过失甚多，实无尽也。此次讲说时间甚短，每条之中仅略明大意，未能详言，若欲知者，且俟他日面谈耳。

（1）**虚心**　常人不解善恶，不畏因果，决不承认自己有过，更何论改？但古圣贤则不然。今举数例：孔子曰："五十以学易，可以无大过矣。"又曰："闻义不能徙，不善不能改，是吾忧也。"蘧伯玉为当时之贤人，彼使人于孔子。孔子与之坐而问焉，曰：“夫子何为？”对曰：“夫子欲寡其过而未能也。”圣贤尚如此虚心，我等可以贡高自满乎！

（2）**慎独** 吾等凡有所作所为，起念动心，佛菩萨乃至诸鬼神等，无不尽知尽见。若时时作如是想，自不敢胡作非为。曾子曰：“十目所视，十手所指，其严乎！”又引诗云：“战战兢兢，如临深渊，如履薄冰。”此数语为余所常常忆念不忘者也。

（3）**宽厚** 造物所忌，曰刻曰巧。圣贤处事，惟宽惟厚。古训甚多，今不详录。

（4）**吃亏** 古人云：“我不识何等为君子，但看每事肯吃亏的便是。我不识何等为小人，但看每事好便宜的便是。”古时有贤人某临终，子孙请遗训，贤人曰：“无他言，尔等只要学吃亏。”

（5）**寡言**　此事最为紧要。孔子云：“驷不及舌”，可畏哉！古训甚多，今不详录。

（6）**不说人过**　古人云：“时时检点自己且不暇，岂有功夫检点他人。”孔子亦云：“躬自厚而薄责于人。”以上数语，余常不敢忘。

（7）**不文己过**　子夏曰：“小人之过也必文。”我众须知文过乃是最可耻之事。

（8）**不覆己过**　我等倘有得罪他人之处，即须发大惭愧，生大恐惧。发露陈谢，忏悔前愆。万不可顾惜体面，隐忍不言，自诳自欺。

（9）**闻谤不辩**　古人云：“何以息谤？曰：无辩。”又云：“吃得小亏，则不至于吃大亏。”余三十年来屡次经验，深信此数语真实不虚。

（10）**不嗔**　嗔习最不易除。古贤云：“二十年治一怒字，尚未消磨得尽。”但我等亦不可不尽力对治也。《华严经》云：“一念嗔心，能开百万障门。”可不畏哉！

因限于时间，以上所言者殊略，但亦可知改过之大意。最后，余尚有数言，愿为诸君陈者——改过之事，言之似易，行之甚难。故有屡改而屡犯，自己未能强作主宰者，实由无始宿业所致也。务请诸君更须常常持诵阿弥陀佛名号，观世音地藏诸大菩萨名号，至诚至敬，恳切忏悔无始宿业，冥冥中自有不可思议之感应。承佛菩萨慈力加被，业消智朗，则改过自新之事，庶几可以圆满成就，现生优入圣贤之域，命终往生极乐之邦，此可为诸君预贺者也。

常人于新年时，彼此晤面，皆云恭喜，所以贺其将得名利。余此次于新年时，与诸君晤面，亦云恭喜，所以贺诸君将能真实改过不久将为贤为圣；不久决定往生极乐，速成佛道，分身十方，普能利益一切众生耳。

放生与杀生之果报

癸酉五月十五日在泉州大开元寺讲

今日与诸君相见，先问诸君——

（一）欲延寿否?

（二）欲愈病否?

（三）欲免难否?

（四）欲得子否?

（五）欲生西否?

倘愿者，今有一最简便易行之法奉告，即是放生也。

古今来，关于放生能延寿等之果报事迹甚多。今每门各举一事，为诸君言之。

一、延寿

张从善，幼年，尝持活鱼，刺指痛甚。自念："我伤一指，痛楚如是。群鱼剔腮剖腹，断尾剖鳞，其痛如何？特不能言耳。"遂尽放之溪中，自此不复伤一物，享年九十有八。

二、愈病

杭州叶洪五，九岁时，得恶梦，惊痦，呕血满床，久治不愈。先是彼甚聪颖，家人皆爱之，多与之钱，已积数千缗。至是，其祖母指钱曰："病至不起，欲此何为？"尽其所有，买物放生，及钱尽，病遂痊愈矣。

三、免难

嘉兴孔某，至一亲戚家，留午餐，将杀

鸡供馔。孔力止之，继以誓，遂止。是夕宿其家，正捣米，悬石杵于朽梁之上，孔卧其下。更余，已眠，忽有鸡来啄其头，驱去复来，如是者三。孔不胜其扰，遂起觅火逐之。甫离席，而杵坠，正在其首卧处。孔遂悟鸡报恩也。每举以告人，劝勿杀生。

四、得子

杭州杨墅庙，甚有灵感。绍兴人倪玉树，赴庙求子，愿得子日杀猪羊鸡鹅等谢神。夜梦神告曰：“汝欲生子，乃立杀愿何耶？”倪叩首乞示。神曰：“尔欲有子，物亦欲有子也。物之多子者莫如鱼虾螺等，尔盍放之！”倪自是见鱼虾螺等，即买而投之江。后果连产五子。

五、生西

湖南张居士，旧业屠，每早宰猪，听邻寺晓钟声为准。一日忽无声。张问之，僧云：“夜梦十一人乞命，谓不鸣钟可免也。”张念所欲宰之猪，适有十一子。遂乃感悟，弃屠业，皈依佛法。勤修十余年，已得神通，知去来事。预告命终之日，端坐而逝。经谓上品往生，须慈心不杀。张居士因戒杀而得往生西方，决无疑矣。

以上所言，且据放生之人今生所得之果报。若据究竟而言，当来决定成佛。因佛心者，大慈悲是，今能放生，即具慈悲之心，能植成佛之因也。

放生之功德如此。则杀生所应得之恶报，可想而知，无须再举。因杀生之人，现生即短命、多病、多难、无子及不得生西也。命终之后，先堕地狱、饿鬼、畜生，经无量劫，备受众苦。地狱、饿鬼之苦，人皆知之。至生于畜生中，即常常有怨仇返报之事。昔日杀牛羊猪鸡鸭鱼虾等之人，即自变为牛羊猪鸡鸭鱼虾等。昔日被杀之牛羊猪鸡鸭鱼虾等，或变为人，而返杀害之。此是因果报应之理，决定无疑，而不能幸免者也。

既经无量劫，生三恶道，受报渐毕。再生人中，依旧短命、多病、多难、无子及不得生西也。以后须再经过多劫，渐种善根，能行放生戒杀诸善事，又能勇猛精勤、忏悔往业，乃能渐离一切苦难也。

抑余又有为诸君言者。上所述杀牛羊猪鸡鸭鱼虾，乃举其大者而言。下至极微细之苍蝇、蚊虫、臭虫、跳蚤、蜈蚣、壁虎、蚁子等，亦决不可害损。倘故意杀一蚊虫，亦决定获得如上所述之种种苦报。断不可以其物微细而轻忽之也。

今日与诸君相见，余已述放生与杀生之果报如此苦乐不同。惟愿诸君自今以后，力行放生之事，痛改杀生之事。余尝闻人云：泉州近来放生之法会甚多，但杀生之家犹复不少。或有一人茹素，而家中男女等仍买鸡鸭鱼虾等之活物任意杀害也。愿诸君于此事多多注意。自己既不杀生，亦应劝一切人皆不杀生。况家中男女等，皆自己所亲爱之人，岂忍见其故造杀业，行将备受大苦，而不加以劝告阻止耶？诸君勉旃，愿悉听受余之忠言也。

敬三宝

癸酉闰五月五日在泉州大开元寺

三宝者，佛、法、僧也。其义甚广，今唯举其少分之义耳。

今言佛者，且约佛像而言，如木石等所雕塑及纸画者也。

今言法者，且约经、律、论等书册而言，或印刷或书写也。

今言僧者，且约当世凡夫僧而言，因菩萨、罗汉等附入敬佛门也。

第一、敬佛

略举常人所应注意者数条

礼佛时宜洗手漱口，至诚恭敬，缓缓而拜，不可急忙。宁可少拜，不可草率。

佛几清洁，供香端直。供佛之物，以烹调精美，人所能食者为宜。今多以食物之原料及罐头而供佛者，殊为不敬。蕅益大师《大悲行法》中，曾痛斥之。又供佛宜在午前，不宜过午也。供水果亦宜午前。供水宜捧奉式。供花，花瓶水宜常换。

纸画之佛像，不可仅以绫裱，恐染蝇粪等秽物也（少蝇者或可），宜装入玻璃镜中。

木石等雕塑者，小者应入玻璃龛中，大者应作宝盖罩之，并须常拂拭像上之尘土也。

凡大殿及供佛之室中，皆不宜踞坐笑谈。

如对于国王大臣乃至宾客之前尚应恭敬，慎护威仪，何况对佛像耶。不可佛前晒衣服，宜偏侧。不得在大殿前用夜壶水浇花。若卧室中供佛像者，眠时应以净布遮障。

第二、敬法

略举常人所应注意者数条

读经之时，必须洗手、漱口、拭几，衣服整齐，威仪严肃，与礼佛时无异。蕅益大师云："展卷如对活佛，收卷如在目前，千遍万遍，寤寐不忘。"如是乃能获读经之实益也。

对于经典，应十分恭敬护持，万不可令其污损。又翻篇时，宜以指腹轻轻翻之，不可以指爪划，又不应折角。若欲记志，以纸片夹入可也。

若经典残缺者亦不可烧。卧室中几上置经典者，眠时应以净布盖之。

附：日诵经时仪式

┌—礼佛　多少不拘

├—赞佛　经偈或“天上天下无如佛”等

┤　“阿弥陀佛身金色”等“炉香乍爇”不是佛赞

├—供养　“愿此香华云”等

├—读经

└—回向　不拘 或用“我此普贤殊胜行”等

第三、敬僧

略举常人所应注意者数条

凡剃发披袈裟者，皆是释迦佛子。在家

人见之,应一例生恭敬心,不可分别持戒破戒。

若皈依三宝时，礼一出家人为师而作证明者，不可妄云“皈依某人”。因所皈依者为僧,非皈依某一人。应于一切僧众若贤若愚,生平等心，至诚恭敬，尊之为师，自称弟子，则与皈依僧伽之义，乃符合矣。

供养僧者亦尔。不可专供有德者，应于一切僧生平等心普遍供之，乃可获极大之功德也。专赠一人者功德小，供众者功德大。

出家人若有过失，在家人闻之万不可轻言。此为佛所痛诫者，最宜慎之。

以上略言敬三宝义竟。兹附有告者，厦门、泉州神庙甚多,在家人敬神每用猪鸡等物。

岂知神皆好善而恶杀，今杀猪鸡等物而供神，神不受享，又安能降福而消灾耶，唯愿自今以后，痛革此种习惯，凡敬神时，亦一例改用素，则至善矣。

1933 年 6 月 27 日讲于泉州大开元寺

常随佛学

癸酉七月十一日

在泉州承天寺为幼年诸学僧讲

《华严经·行愿品》末卷所列十种广大行愿中，第八曰“常随佛学”。若依《华严经》文所载，种种神通妙用，决非凡夫所能随学。但其他经律等载佛所行事，有为我等凡夫作模范，无论何人皆可随学者，亦屡见之。今且举七事——

一、佛自扫地

《根本说一切有部毗奈那杂事》云：世尊在逝多林，见地不净，即自执帚，欲扫林中。时舍利子大目犍连、大迦叶阿难陀等诸大声闻，见是事已，悉皆执帚共扫园林。时佛世尊及圣弟子扫除已，入食堂中，就席而坐。佛告诸比丘，凡扫地有五胜利——一者自心清净，二者令他心清净，三者诸天欢喜，四者植端正业，五者命终之后当生天上。

二、佛自舁

音余即共抬也弟子及自汲水

《五分律佛制饮酒戒·缘起》云：婆伽陀比丘以降龙故，得酒醉，衣钵纵横。佛与阿难舁至井边，佛自汲水，阿难洗之等。

三、佛自修房

《十诵律》云：佛在阿罗昆国，见寺门楣损，乃自修之。

四、佛自洗病比丘及自看病

《四分律》云，世尊即扶病比丘起，拭身不净，拭已洗之。洗已，复为洗衣洒干。有故坏卧草弃之，扫除住处，以泥浆涂洒，极令清净。更敷新草，并敷一衣，还安卧病比丘已，复以一衣覆上。

《西域记》云，祇桓东北有塔，即如来洗病比丘处。又云，如来在日，有病比丘，含苦独处。佛问，汝何所苦，汝何独居？答曰：我性疏懒，不耐看病，故今婴疾，无人瞻视。佛愍而告云，善男子，我今看汝。

五、佛为弟子裁衣

《中阿含经》云，佛亲为阿那律裁三衣，诸比丘同时为连合即成。

六、佛自为老比丘穿针

此事知者甚多，今已忘记出何经律，不及检查原文，仅就所记忆大略之义录之。佛在世时，有老比丘补衣，因目昏花，未能以线穿针孔中，乃叹息曰，谁当我为穿针？佛闻之即立起，曰我为汝穿之。

七、佛自乞僧举过

是为佛及弟子等结夏安居竟，具仪自恣时也。《增一阿含经》云，佛坐草座即是离本座敷草于地而坐也，所以尔者，恣僧举过，舍骄慢故，告诸比丘言，我无处咎于众人乎！又不犯身口意乎！如是至三。灵芝律师云，如来亦自恣者示同凡法故、垂范后世故，令众省已故，使祈我慢故。如是七事，冀诸仁者勉力随学，远离骄慢，增长悲心，广植福业，速证菩提。是为余所希愿者耳！

一九三三年八月三十一日

改习惯

癸酉在泉州承天寺讲

吾人因多生以来之夙习，及以今生自幼所受环境之熏染，而自然现于身口者，名曰习惯。

习惯有善有不善，今且言其不善者。常人对于不善之习惯，而略称之曰习惯。今依俗语而标题也。

在家人之教育以矫正习惯为主，出家人亦尔。但近世出家人，惟尚谈玄说妙。于自己微细之习惯，固置之不问。即自己一言一动，极粗显易知之习惯，亦罕有加以注意者。可痛叹也。

余于三十岁时，即觉知自己恶习惯太重，颇思尽力对治。出家以来，恒战战兢兢，不敢任情适意。但自愧恶习太重，二十年来所矫正者百无一二。自今以后，愿努力痛改。更愿有缘诸道侣，亦皆奋袂兴起，同致力于此也。

吾人之习惯甚多。今欲改正，宜依如何之方法耶，若胪列多条，而一时改正，则心劳而效少，以余经验言之，宜先举一条乃至三四条，逐日努力检点，既已改正，后再逐渐增加可耳。

今春以来，有道侣数人，与余同研律学，颇注意于改正习惯。数月以来，稍有成效，今愿述其往事，以告诸公。但诸公欲自改其习惯，不必尽依此数条，尽可随宜酌定。余今所述者、特为诸公作参考耳。

学律诸道侣，已改正习惯，有七条。

一、食不言

现时中等以上各寺院皆有此制，故改正甚易。

二、不非时食

初讲律时，即由大众自己发心，同持此戒。后来学者亦尔，遂成定例。

三、衣服朴素整齐

或有旧制，色质未能合宜者，暂作内衣，外罩如法之服。

四、别修礼诵等课程

每日除听讲、研究、抄写及随寺众课诵外，皆别自立礼诵等课程，尽力行之。或有每晨于佛前跪读《法华经》者，或有读《华严经》者，或有读《金刚经》者，或每日念佛一万以上者。

五、不闲谈

出家人每喜聚众闲谈，虚丧光阴，废弛道业，可悲可痛！今诸道侣已能渐除此习。每于食后或傍晚休息之时，皆于树下檐边，或经行，或端坐，若默诵佛号，若朗读经文，若默然摄念。

六、不阅报

各地日报社会新闻栏中，关于杀盗淫妄等事记载最详，而淫欲诸事尤描摹尽致。虽无淫欲之人，常阅报纸，亦必受其熏染，此为现代世俗教育家所痛慨者。故学律诸道侣近已自己发心不阅报纸。

七、常劳动

出家人性多懒惰，不喜劳动。今学律诸道侣皆已发心，每日扫除大殿及僧房檐下，并奋力作其他种种劳动之事。

以上已改正之习惯，共有七条。尚有近来特实行改正之二条，亦附列于下：

一、食碗所剩饭粒

印光法师最不喜此事。若见剩饭粒者，即当面痛诃斥之。所谓“施主一粒米、恩重大如山”也。但若烂粥烂面留滞碗上、不易除去者，则非此限。

二、坐时注意威仪

垂足坐时，双腿平列，不宜左右互相翘架，更不宜耸立或直伸。余于在家时已改此习惯。且现代出家人普通之威仪亦不许如此。想此习惯不难改正也。

总之，学律诸道侣改正习惯时皆由自己发心，决无人出命令而禁止之也。

青年佛徒应注意的四项

丙子正月开学日在南普陀佛教养正院讲

养正院从开办到现在，已是一年多了。外面的名誉很好，这因为由瑞金法师主办，又得各位法师热心爱护所以能有这样的成绩。

我这次到厦门，得来这里参观，心里非常欢喜。各方面的布置都很完美，就是地上也扫得干干净净的，这样，在别的地方，很不容易看到。

我在泉州草庵大病的时候，承诸位写一封信来，各人都签了名，慰问我的病状；并且又承诸位念佛七天，代我忏悔，还有像这样别的事，都使我感激万分！

再过几个月，我就要到鼓浪屿日光岩，去方便闭关了。时期大约颇长久，怕不能时时会到，所以特地发心来和诸位叙谈叙谈。

今天所要和诸位谈的，共有四项——

一是惜福，二是习劳，三是持戒，四是自尊，都是青年佛徒应该注意的。

一、惜福

“惜”是爱惜，“福”是福气。就是我们纵有福气，也要加以爱惜，切不可把它浪费。诸位要晓得末法时代，人的福气是很微薄的；若不爱惜，将这很薄的福享尽了，就要受莫大的痛苦。古人所说“乐极生悲”，就是这意思啊！我记得从前小孩子的时候，我父亲请人写了一副大对联，是清朝刘文定公的句子，高高地挂在大厅的抱柱上，上联是“惜食惜衣 非为惜财 缘惜福”。我的哥哥时常教我念这句子，我念熟了，以后凡是临到穿衣或是饮食的当儿，我都十分注意，就是一粒米饭，也不敢随意糟掉。而且我母亲也常常教我，身上所穿的衣服，当时时小心，不可损坏或污染。这因为母亲和哥哥怕我不爱惜衣食，损失福报，以致短命而死，所以常常这样叮嘱着。

诸位可晓得，我五岁的时候，父亲就不在世了！七岁我练习写字，拿整张的纸瞎写，一点不知爱惜。我母亲看到，就正颜厉色的说："孩子！你要知道呀！你父亲在世时，莫说这样大的整张的纸不肯糟蹋，就连寸把长的纸条，也不肯随便丢掉哩！"母亲这话，也是惜福的意思啊！

我因为有这样的家庭教育，深深地印在脑里，后来年纪大了，也没一时不爱惜衣食。就是出家以后，一直到现在，也还保守着这样的习惯。诸位请看我脚上穿的一双黄鞋子，还是民国九年在杭州时候，一位打念七佛的出家人送给我的。又诸位有空，可以到我房间里来看看，我的棉被面子，还是出家以前所用的；又有一把洋伞，也是民国初年买的。

这些东西，即使有破烂的地方，请人用针线缝缝，仍旧同新的一样了。简直可尽我形寿受用着哩！不过，我所穿的小衫裤和罗汉草鞋一类的东西，却须五六年一换。除此以外，一切衣物，大都是在家时候或是初出家时候制的。

从前常有人送我好的衣服或别的珍贵之物，但我大半都转送别人。因为我知道我的福薄，好的东西是没有胆量受用的。又如吃东西，只生病时候吃一些好的，除此以外，从不敢随便乱买好的东西吃。

惜福并不是我一个人的主张，就是净土宗大德印光老法师也是这样，有人送他白木耳等补品，他自己总不愿意吃，转送到观宗寺去供养谛闲法师。别人问他："法师！你为什么不吃好的补品？"他说："我福气很薄，不堪消受。"

他老人家——印光法师，性情刚直，平常对人只问理之当不当，情面是不顾的。前几年有一位皈依弟子，是鼓浪屿有名的居士，去看望他，和他一道吃饭。这位居士先吃好，老法师见他碗里剩落了一两粒米饭，于是就很不客气地大声呵斥道："你有多大福气，可以这样随便糟蹋饭粒！你得把它吃光！"

诸位！以上所说的话，句句都要牢记。要晓得我们即使有十分福气，也只好享受二三分，所余的可以留到以后去享受。诸位或者能发大心，愿以我的福气布施一切众生，共同享受，那更好了。

二、习劳

“习”是练习，“劳”是劳动。现在讲讲习劳的事情——

诸位请看看自己的身体，上有两手，下有两脚，这原为劳动而生的。若不将他运用习劳，不但有负两手两脚，就是对于身体也一定有害无益的。换句话说，若常常劳动，身体必定康健。而且我们要晓得，劳动原是人类本分上的事，不唯我们寻常出家人要练习劳动，即使到了佛的地位，也要常常劳动才行，现在我且讲讲佛的劳动的故事——

所谓佛，就是释迦牟尼佛。在平常人想起来，佛在世时，总以为同现在的方丈和尚一样，有衣钵师、侍者师常常侍候着，佛自己不必做什么；但是不然，有一天，佛看到地下不很清洁，自己就拿起扫帚来扫地。许多大弟子见了，也过来帮扫，不一时，把地扫得十分清洁。佛看了欢喜，随即到讲堂里去说法，说道："若人扫地，能得五种功德。……"

又有一个时候，佛和阿难出外游行，在路上碰到一个喝醉了酒的弟子，已醉得不省人事了；佛就命阿难抬脚，自己抬头，一直抬到井边，用桶汲水，叫阿难把他洗濯干净。

有一天，佛看到门前木头做的横楣坏了，自己动手去修补。

有一次，一个弟子生了病，没有人照应。佛就问他说：“你生了病，为什么没人照应你？”那弟子说：“从前人家有病，我不曾发心去照应他；现在我有病，所以人家也不来照应我了。”佛听了这话，就说：“人家不来照应你，就由我来照应你吧！”就将那病弟子大小便种种污秽，洗濯得干干净净；并且还将他的床铺，理得清清楚楚，然后扶他上床。由此可见，佛是怎样的习劳了。佛决不像现在的人，凡事都要人家服劳，自己坐着享福。这些事实，出于经律，并不是凭空说说的。

现在我再说两桩事情，给大家听听——《弥陀经》中载着的一位大弟子——阿（少 / 兔）楼陀，他双目失明，不能料理自己。佛就替他裁衣服，还叫别的弟子一道帮着做。

有一次，佛看到一位老年比丘眼睛花了，要穿针缝衣，无奈眼睛看不清楚，嘴里叫着："谁能替我穿针呀！"佛听了立刻答应说："我来替你穿。"

以上所举的例，都足证明佛是常常劳动的。我盼望诸位，也当以佛为模范，凡事自己动手去做，不可依赖别人。

三、持戒

“持戒”二字的意义，我想诸位总是明白的吧！我们不说修到菩萨或佛的地位，就是想来生再做人，最低的限度，也要能持五戒。可惜现在受戒的人虽多，只是挂个名而已，切切实实能持戒的却很少。要知道受戒之后，若不持戒，所犯的罪，比不受戒的人要加倍的大，所以我时常劝人不要随便受戒。至于现在一般传戒的情形，看了真痛心，我实在说也不忍说了！我想最好还是随自己的力量去受戒，万不可敷衍门面，自寻苦恼。

戒中最重要的，不用说是杀、盗、淫、妄，此外还有饮酒、食肉，也易惹人讥嫌。

至于吃烟，在律中虽无明文，但在我国习惯上，也很容易受人讥嫌的，总以不吃为是。

四、自尊

“尊”是尊重，“自尊”就是自己尊重自己。可是人都喜欢人家尊重我，而不知我自己尊重自己；不知道要想人家尊重自己，必须从我自己尊重自己做起。怎样尊重自己呢？就是自己时时想着我当做一个伟大的人，做一个了不起的人。比如我们想做一位清净的高僧吧，就拿《高僧传》来读，看他们怎样行，我也怎样行，所谓“彼既丈夫我亦尔”。又比方我想将来做一位大菩萨，那末，就当依经中所载的菩萨行，随力行去。这就是自尊。

但自尊与贡高不同。贡高是妄自尊大，目空一切的胡乱行为。自尊是自己增进自己的德业，其中并没有一丝一毫看不起人的意思的。

诸位万万不可以为自己是一个小孩子，是一个小和尚，一切不妨随便些；也不可说我是一个平常的出家人，哪里敢希望做高僧做大菩萨？凡事全在自己做去，能有高尚的志向，没有做不到的。

诸位如果作这样想："我是不敢希望做高僧做大菩萨的。"那做事就随随便便，甚至自暴自弃，走到堕落的路上去了，那不是很危险的么？诸位应当知道年纪虽然小，志气却不可不高啊！

我还有一句话，要向大家说。我们现在依佛出家，所处的地位是非常尊贵的，就以剃发和披袈裟的形式而论，也是人天师表，国王和诸天人来礼拜，我们都可端坐而受。你们知道这道理么？自今以后，就当尊重自己，万万不可随便了。

以上四项，是出家人最当注意的，别的我也不多说了。我不久就要闭关，不能和诸位时常在一块儿谈话，这是很抱歉的。但我还想在关内讲讲律，每星期约讲三四次，诸位碰到例假，不妨来听听！

今天得和诸位见面，我非常高兴。我只希望诸位把我所讲的四项，牢记在心，作为永久的纪念！

时间讲得很久了，费诸位的神。

抱歉！抱歉！

1936年2月

弘一大师最后一言

——谈写字的方法

丁丑三月二十八日在南普陀佛教养正院讲

高文显笔记

我到闽南这边来，已经有十年之久了。

前几年冬天的时候，我也常常到南普陀寺来，看到大殿、观音殿及两廊旁边的栏杆上，排列了很多很多的花，尤其正在过年的时候，更是多得很，多得很。

其中有一种名叫“一品红”的（闽南人称为圣诞花，其顶端之叶均作红色，学名为

Euphorbia Pulcherrima），颜色非常的鲜明，非常的好看，可以说是南国特有的一种风味，特有的色彩。每当残冬过去春天快到来的时候，把它摆出来，好像是迎春的样子，而气象确也为之一新。

我于去年冬天到这里来，心中本来预料着，以为可以看到许多的一品红了。岂知一到的时候，空空洞洞，所看到的，尽是其他的花草，因而感到很伤心。为什么，以前那么多的一品红，现在到哪里去了呢？找来找去，找了很久，只在那新功德楼的地方，发现了三棵，都是憔悴不堪，颜色不大鲜明很怨惨的样子。也没有什么人要去赏玩了。于是使我联想到佛教养正院——过去的时候，也曾经有很光荣的历史，像那些“一品红”一样，欣欣向荣，有无限的生机；可是现在，则有些衰败的气象了。

养正院开办已经三年了，这期间，自然有很多可纪念的事迹，可是观察其未来，则很替它悲观，前途很不堪设想。我现在在南普陀这里，还可以看到养正院的招牌，下一次再来的时候，恐怕看不到了。这一次，也许可以说是我“最后的演讲”。

一

这一次所要讲的，是这里几位学生的意思，要我来讲——关于写字的方法。

我想写字这一回事，是在家人的事，出家人讲究写字有什么意思呢？所以，这一讲讲写字的方法，我觉得很不对。因为出家人假如只会写字，其他的学问一点不知道，尤其不懂得佛法，那可以说是佛门的败类。须知出家人不懂得佛法，只会写字，那是可耻的。出家人唯一的本分，就是要懂得佛法，要研究佛法。不过，出家人并不是绝对不可以讲究写字的，但不可用全副精神，去应付写字就对了；出家人固应对于佛法全力研究，而于有空的时候，写写字也未尝不可。写字如果写到了有个样子，能写对子、中堂来送与人，以作弘法的一种工具，也不是无益的。

倘然只能写得几个好字，若不专心学佛法，虽然人家赞美他字写得怎样的好，那不过是“人以字传”而已。我觉得出家人字虽然写得不好，若是很有道德，那么他的字是很珍贵的，结果都是能够“字以人传”；如果对于佛法没有研究，而是没有道德，纵能写得很好的字，这种人在佛教中是无足轻重的了，他的人本来是不足传的。即能“人以字传”——这是一桩可耻的事，就是在家人也是很可耻的。

今天虽然名为讲写字的方法，其实我的本意是要劝诸位来学佛法的。因为大家有了行持，能够研究佛法，才可利用闲暇时间，来谈谈写字的法子。

关于写字的源流、派别，以及笔法、章法、用墨……古人已经讲得很清楚了，而且有很多的书可以参考，我不必多讲。现在只就我个人关于写字的心得及经验，随便来说一说。

诸位写字的成绩很不错。但是每天每个人只限定写一张，而且只有一个样子，这是不对的。每天练习写字的时候，应该将篆书、大楷、中楷、小楷四个样子，都要多多地写与练习。如果没有时间，关于中楷可以略掉；至于其他的字样，是缺一不可的，且要多多的练习才对。我有一点意见，要贡献给诸位，下面所说的几种方法，我认为是很重要的。

二

我对于发心学字的人，总是劝他们先由篆字学起。为什么呢？有几种理由：

（一） 可以顺便研究《说文》，对于文字学，便可以有一点常识了。因为一个字一个字都有它的来源，并不是凭空虚构的，关于一笔一划，都不能随随便便乱写的。若不学篆书，不研究《说文》，对于字学及文字的起源就不能明白——简直可以说是不认得字啊！所以写字若由篆书入手，不但写字会进步，而且也很有兴味的。

（二） 能写篆字以后，再学楷书，写字时一笔一画，也就不会写错的了。我以前看到养正院几位学生所抄写的稿子，写错的字很多很多。要晓得写错了字，是很可耻的——这正如学英文的人一样，不能把字母拼错一个。若拼错了字，人家怎么认识呢？写错了我们自己的汉文字，更是不可以的。我们若先学会了篆书，再写楷字时，那就可以免掉很多错误。此外，写篆字也可以为写隶书、楷书、行书的基础。学会了篆字之后，对于写隶书、楷书、行书就都很容易——因为篆书是各种写字的根本。

若要写篆字的话，可先参看《说文》这一类的书。有一位清人吴大澂即清代文字学家，江苏吴县人，精于古文字学，著有《说文部首》《字说》《说文古籀补》等文字学著作多部，在字学上颇具创见的。《说文部首》，那是不可缺少的。因为这部书很好，便于初学，如果要学写字的话，先研究这一部书最好。

既然要发心学写字的话，除了写篆字而外，还有大楷、中楷、小楷，这几样都应当写。我以前小孩子的时候，都通通写过的。至于要学一尺二尺的字，有一个很简便的方法那就可用大砖来写，平常把四块大砖拼合起来，做成桌子的样子，而且用架子架起来，也可当桌子用；要学写大字，却很方便，而且一物可供两用了。

大笔怎样得到呢？可用麻扎起来做大笔，

要写时，就可以任意挥毫。大砖在南方也许不多，这里倒有一个方面可以替代就是用水门汀拼起来成为桌子。而用麻来写字，都是一样的。这样一来，既可练习写字，而纸及笔，也就经济得多了。

篆书、隶书乃至行书都要写，样样都要学才好；一切碑帖也都要读，至少要浏览一下才可以。照以上的方法学了一个时期以后，才可专写一种或专写一体。这是由博而约的方法。

三

至于用笔呢？算起来有很多种，如羊毫、狼毫、兔毫等。普通是用羊毫，紫毫及狼毫亦可用，并不限定哪一种。最要注意的一点，就是写大字须用大笔，千万不可用小笔！用小的笔写大字，那是很错误的。宁可用大笔写小字，不可以用小笔写大字。

还有纸的问题。市上所售的油光纸是很便宜的，但太光滑，很难写。若用本地所产的粗纸，就无此毛病的了。我的意思是高年级的同学可用粗纸，低年级的可用油光纸。

此地所用的有格子的纸，是不大适合的，和我们从前的九宫格的纸不同。以我的习惯而论，我用九宫格的方法，就不是这个样子。现在画在下面，并说明我的用法——

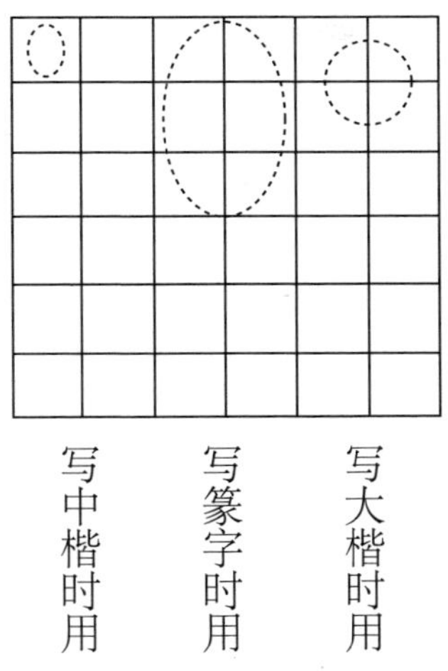

若用这种格子的纸，写起字来，是很方便的，这样一来，每个字都有规矩绳墨可守的。如写大楷时，两线相交的地方，成了一个十字形，就不致上下左右不相对称了。要晓得写字总不能随随便便。每个字的地位要很正，要不偏左不偏右，不上不下，要有一定的标准。因为线有中心点，初学时注意此线，则写起来，自然会适中很“落位”了。

平常写字时，写这个字，眼睛专看这个字，其余的字就不管，这也是不对的。因为上面的字，与下面的字都有关系的——即全部分的字，不论上下左右，都须连贯才可以。这一点很要紧，须十分注意。不可以只管写一个字，其余的一切不去管它。因为写字要使全体都能够配合，不能单就每个字去看的。

再有一点须注意的是当我们写字的时候，切不可倚在桌上，须使腕高高地悬起来，才可以运用如意。

以上所说的，是写字的初步法门。

四

现在顺便讲讲关于写对联、中堂、横披、条幅等的方法。

我们写对联或中堂，就所写的一幅字而论，是应该有章法的。普通的一幅中堂，论起优劣来，有几种要素须注意的。现在估量其应得的分数如下：章法五十分 字三十五分 墨色五分 印章十分。

就以上四种要素合起来，总分数可以算一百分。其中并没有平均的分数。我觉得其差异及分配法，当照上面所分配的样子才可以。

一般人认为每个字都很要紧，然而依照上面的记分，只有三十五分。大家也许要怀疑，为什么章法反而分数占多数呢？就章法本身而论，它之所以占着重要的原因，理由很简单——在艺术上有所谓三原则即：

（一） 统一（二） 变化（三） 整齐

这在西洋绘画方面是认为很重要的。我便借来用在此地，以批评一幅字的好坏。我们随便写一张字，无论中堂或对联，普通将字排起来，或横或直，首先要能够统一，字与字之间，彼此必须相联络互相关系才好。但是单止统一也不能的，呆板也是不可以的，须当变化才好。若变化得太厉害，乱七八糟，当然不好看。所以必须注意彼此互相联络互相关系才可以的。

就写字的章法而论，大略如此。说起来虽很简单，却不是一蹴可就的。这需要经验的，多多地练习，多看古人的书法以及碑帖，养成赏鉴艺术的眼光，自己能常去体认，从经验中体会出来，然后才可以慢慢地养成，有所成就。

所谓墨色要怎样才可以？即质料要好，而墨色要光亮才对。还有，印章盖坏了，也是不可以的。盖的地方要位置设中，很落位才对。所谓印章，当然要刻得好，印章上的字须写得好。至于印色，也当然要好的。盖用时，可以盖一颗两颗。印章有圆的方的，大的小的不一，且有种种的区别。如何区别及使用呢？那就要于写字之后再注意盖用，因为它也可以补救写字时章法的不足。

以上所说的，是关于写字的基本法则。

可当作一种规矩及准绳讲，不过是一种呆板的方法而已。

五

写字最好的方法是怎样的，用哪一种的方法才可以达到顶好顶好的呢？我想诸位一定很热心的要问。

我想了又想，觉得想要写好字，还是要多多地练习，多看碑，多看帖才对，那就自然可以写得好了。

诸位或者要说，这是普通的方法，假如要达到最高的境界须如何呢？我没有办法再回答。曾记得《法华经》有云："是法非思量分别之所能解。"我便借用这句子，只改了一个字，那就是“是字非思量分别之所能解”了。因为世间上无论哪一种艺术，都是非思量分别之所能解的。

即以写字来说，也是要非思量分别才可以写得好的。同时要离开思量分别，才可以鉴赏艺术，才能达到艺术的最上乘的境界。

记得古来有一位禅宗的大师，有一次人家请他上堂说法，当时台下的听众很多，他登台后默默地坐了一会儿以后，即说：“说法已毕。”便下堂了。所以，今天就写字而论，讲到这里，我也只好说“谈写字已毕了”。

假如诸位用一张白纸，完全是白的，没有写上一个字，送给教你们写字的法师看，那么他一定说：“善哉，善哉！写得好，写得好！”

诸位听了我所讲的以后，要明白我的意思——学佛法最为要紧。如果佛法学得好，字也可以写得好的。不久会泉法师（闽南佛教界名宿，曾任南普陀住持多年）要在妙释寺讲《维摩经》，诸位有空的时候，要去听讲，要注意研究。经典要多多地参考，才能懂得佛法。

我觉得最上乘的字或最上乘的艺术，在于从学佛法中得来。要从佛法中研究出来，才能达到最上乘的地步。所以，诸位若学佛法有一分的深入，那么字也会有一分的进步，能十分的去学佛法，写字也可以十分的进步。

今天所说的已经很够了。奉劝诸位以后

要勤求佛法，深研佛法。

本文系弘一大师一九三七年三月二十八日在厦门南普陀佛教养正院所做讲演，由高文显记录。所谓的“最后一言”，系指弘一大师在厦门南普陀佛教养正院所做的最后一次讲演，并非指弘一大师生命中的“最后一言”。

——编者

泉州开元慈儿院讲演录

戊寅二月 吴棲霞记

我到闽南，已有十年，来到贵院，也有好几回，一回到院，都觉得有一番进步，这是使我很喜欢的。贵院各种课程，都有可观，其最使我满意赞叹的，就是早晚两堂课诵。古语道：人身难得，佛法难闻。诸生倘非夙有善根，怎得来这里读书，又复得闻佛法哩！今这样，真是好极了。诸生得这难得机缘，应各各起欢喜心，深自庆幸才是。

我今讲本师释迦牟尼佛在因地中为法舍身几段故事给诸位听，现在先引涅槃经一段来说。释迦牟尼佛在无量劫前，当无佛法时代，曾作婆罗门，这位婆罗门，品格清高，与众不同，发心访求佛法。那时忉利天王在天宫瞧见，要试此婆罗门，有无真心，化为罗刹鬼，状极凶恶，来与婆罗门说法，但是仅说半偈（印度古代的习惯以四句为一偈）。婆罗门听了罗刹鬼所说的半偈很喜欢，要求罗刹再说后半偈，罗刹不肯。婆罗门力求，罗刹便向婆罗门道："你要我说后半偈，也可以，你应把身上的血给我饮，身上的肉给我吃，才可许你。"婆罗门为求法故，即时答应道："我甚愿将我身上的血肉给你。"罗刹以婆罗门既然诚恳地允许，便把后半偈说给他听。婆罗门得闻了后半偈，真觉心满意足，不特自己欢喜，并且把这偈书写在各处，遍传到人间去。婆罗门在各处树木山岩上书写此四句偈后，为维持信用，便想应如何把自己肉血给罗刹吃呢？他就要跑上一棵很高很高的树上，跳跃下来，自谓可以丧了身命，便将血肉给罗刹吃。罗刹那时，看婆罗门不惜身命求法，心中十分感动，当婆罗门在高处舍身跃下，未坠地时，罗刹便现了天王的原形把他接住，这婆罗门因得不死。罗刹原系忉利天王所化，欲试试婆罗门的，今见婆罗门求法如此诚恳，自然是十分欢喜赞叹。若在婆罗门因志求无上正法，虽弃舍身命亦何所顾惜呢！刚才所说婆罗门如此求法困难，不惜身命。诸位现在不要舍身，而很容易的得闻佛法，真是大可庆幸呀！

还有一段故事，也是涅槃经上说。过去无量劫时候，释迦牟尼佛，为一很穷困的人，当时有佛出世，见人皆先供养佛然后求法，己则贫穷无钱可供，他心生一计，愿以身卖钱来供佛，就到大街上去卖自己的身体。当在大街上喊卖身时，恰巧遇一病人，医生叫他每日应吃三两人肉，那病人看见有人卖身，便十分欢喜，因向贫人说："你每日给我三两人肉吃，我可以给你五枚金钱！”这位穷人，听了这话，与那病人商洽说，你先把五枚金钱拿来，我去买东西供养佛，求闻佛法，然后每日把我身上的肉割下给你吃。当时病人应允，即先付金钱。这穷人供佛闻法已毕，即天天以刀割身上的三两肉给病人吃，吃到一个月，病才痊愈。当穷人每天割肉的时候，他常常念佛所说的偈，精神完全贯注在法的方面，竟如没有痛苦，而且不久他的身体也就平复无恙了。这穷人因求法之故，发心做难行的苦行有如此勇猛。诸生现今在这院里求学，早晚皆得闻佛法，不但每日无须割去若干肉，而且有衣穿，有饭吃，这岂不是很难得的好机缘吗？

再讲一段故事，出于贤愚经。释迦牟尼

佛在因地时候，有一次身为国王，因厌恶终其身居于国王位，没有什么好处，遂发心求闻佛法。当时来了一位婆罗门，对这国王说："王要闻法，能把身体挖一千个孔，点一千盏灯来供养佛吗？若能如此，便可为你说法。"那国王听婆罗门这句话，便慨然对他说："这有何难，为要闻法，情愿舍此身命，但我现有些少国事未了，容我七天，把这国事交下着落，便就实行。"到第七天，国事办完，王便欲在身上挖千个孔，点千盏灯，那时全国人民知道此事，都来劝阻。谓大王身为全国人民所依靠，今若这样牺牲，全国人民将何所赖呢？国王说："现在你们依靠我，我为你们做依靠，不过是暂时，是靠不住的，我今求得佛法，将来成佛，当先度化你们，可为你们永远的依靠，岂不更好，请大家放心，切勿劝阻。”那时国王马上就实行起来。呼左右将身上挖了一千孔，把油盛好，灯心安好，欣然对婆罗门说：“请先说法，然后点灯。”婆罗门答应，就为他说法。国王听了，无限的满足，便把身上一千盏灯，齐点起来，那时万众惊骇呼号。国王乃发大誓愿道：“我为求法，来舍身命，愿我闻法以后，早成佛道，以大智慧光普照一切众生。”这声音一发，天地都震动了，灯光晃耀之下，诸天现前，即问国王：“你身体如此痛苦，你心里也后悔吗？”国王答：“绝不后悔。”后来国王复向空中发誓言：“我这至诚求法之心，果能永久不悔，愿我此身体即刻回复原状。”话说未已，至诚所感，果然身上千个火孔，悉皆平复，并无些少创痕。刚才所说，闻法有如此艰难，诸生现在闻法则十分容易，岂不是诸生有大幸福吗！自今以后，应该发勇猛精进心，勤加修习才是！

以前我曾居住开元寺好几次，即住在贵院的后面，早晚闻诸僧念佛念经很如法，音声亦甚好听，每站在房门外听得高兴。因各种课程固好，然其他学校也是有的，独此早晚二堂课诵，是其他学校所无，而贵院所独有的，此皆是贵院诸职教员善于教导，和你们诸位努力，才有这十分美满的成绩，我希望贵院，今后能够继续精进努力不断的进步，规模益扩大，为全国慈儿院模范，这是我最后殷勤的希望。

最后之□□

戊寅十一月十四日在南普陀寺

佛教养正院同学会席上讲 瑞今记

佛教养正院已办有四年了。诸位同学初来的时候，身体很小。经过四年之久，身体皆大起来了，有的和我也差不多。

啊！光阴很快。人生在世，自幼年至中年，自中年至老年，虽然经过几十年之光景，实与一会儿差不多。就我自己而论，我的年纪将到六十了，回想从小孩子的时候起到现在，种种经过如在目前。

啊！我想我以往经过的情形，只有一句话可以对诸位说，就是“不堪回首”而已。我常自己来想——

啊！我是一个禽兽吗？好像不是，因为我还是一个人身。

我的天良丧尽了吗？好像还没有，因为我尚有一线天良常常想念自己的过失。

我从小孩子起一直到现在都埋头造恶吗？好像也不是，因为我小孩子的时候，常行袁了凡的功过格；三十岁以后，很注意修养；初出家时，也不是没有道心。虽然如此，但出家以后一直到现在，便大不同了。因为出家以后二十年之中，一天比一天堕落，身体虽然不是禽兽，而心则与禽兽差不多；天良虽然没有完全丧尽，但是昏愦糊涂，一天比一天利害，抑或与天良丧尽也差不多了。讲到埋头造恶的一句话，我自从出家以后，恶念一天比一天增加，善念一天比一天退失，一直到现在，可以说是醇乎其醇的一个埋头造恶的人，这个也无须客气也无须谦让了。

就以上所说看起来，我从出家后已经堕落到这种地步，真可令人惊叹。其中到闽南以后十年的工夫，尤其是堕落的堕落。去年春间曾经在养正院讲过一次，所讲的题目，就是“南闽十年之梦影”，那一次所讲的，句句之中，都可以看到我的泪痕，诸位应当还记得吧。

可是到了今年，比去年更不像样子了；自从正月二十到泉州，这两个月之中，弄得不知所云。不只我自己看不过去，就是我的朋友也说我以前如闲云野鹤，独往独来，随意栖止，何以近来竟大改常度，到处演讲，常常见客，时时宴会，简直变成一个“应酬的和尚”了。这是我的朋友所讲的。

啊！“应酬的和尚”，这五个字，我想我自己近来倒很有几分相像。

如是在泉州住了两个月以后，又到惠安到厦门到漳州，都是继续前愆；除了利养，还是名闻；除了名闻，还是利养。日常生活，总不在名闻利养之后。虽在瑞竹岩住了两个月，稍少闲静，但是不久，又到祈保亭冒充善知识，受了许多的善男信女的礼拜供养，可以说是惭愧已极了。

九月又到安海，住了一个月，十分的热闹。近来再到泉州，虽然时常起一种恐惧厌离的心，但是仍不免向这一条名闻利养的路上前进。可是，近来也有一件可庆幸的事，因为我近来得到永春十五岁小孩子的一封信。他劝我以后不可常常宴会，要养静用功；信中又说起他近来的生活，如吟诗、赏月、看花、静坐等，洋洋千言的一封信。

啊！他是一个十五岁的小孩子，竟有如

此高尚的思想，正当的见解；我看到他这一封信，真是惭愧万分了。我自从得到他的信以后，就以十分坚决的心，谢绝宴会；虽然得罪了别人，也不管他。这个也可算是近来一件可庆幸的事了。

虽然是如此，但我的过失也太多了，可以说是从头至足，没有一处无过失，岂只谢绝宴会，就算了结了吗？尤其是今年几个月之中，极力冒充善知识，实在是太为佛门丢脸。别人或者能够原谅我；但我对我自己，绝不能够原谅，断不能如此马马虎虎的过去。所以我近来对人讲话的时候，绝不顾惜情面，决定赶快料理没有了结的事情，将“法师”“老法师”“律师”等名目，一概取消，将学人侍者等一概辞谢；孑然一身，遂我初服，这个或者亦是我一生的大结束了。

啊！再过一个多月，我的年纪要到六十了。像我出家以来，既然是无惭无愧，埋头造恶，所以到现在所做的事，大半支离破碎，不能圆满，这个也是分所当然。只有对于养正院诸位同学，相处四年之久，有点不能忘情；我很盼望养正院从此以后，能够复兴起来，为全国模范的僧学院。可是我的年纪老了，又没有道德学问，我以后对于养正院，也只可说“爱莫能助”了。

啊！与诸位同学谈得时间也太久了，且

用古人的诗来作临别赠言。诗云：

□□□□□□□，万事都从缺陷好；

吟到夕阳山外山，古今谁免余情绕。